www.pinhok.com

Introduction

This Book

This vocabulary book is a curated word frequency list with 2000 of the most commonly used words and phrases. It is not a conventional all-in-one language learning book but rather strives to streamline the learning process by concentrating on early acquisition of the core vocabularies. The result is a unique vocabulary book ideal for driven learners and language hackers.

Who this book is for

This book is for beginners and intermediate learners who are self-motivated and willing to spend 15 to 20 minutes a day on learning vocabularies. The simple structure of this vocabulary book is the result of taking all unnecessary things out allowing the learning effort to solely be spent on the parts that help you make the biggest progress in the shortest amount of time. If you are willing to put in 20 minutes of learning every day, this book is very likely the single best investment you can make if you are at a beginner or intermediate level. You will be amazed at the speed of progress within a matter of just weeks of daily practice.

Who this book is not for

This book is not for you if you are an advanced learner. In this case, please go to our website or search for our vocabulary book which comes with more vocabularies and is grouped by topic which is ideal for advanced learners who want to improve their language capabilities in certain fields.

Furthermore, if you are looking for an all in one learning book that guides you through the various steps of learning a new language, this book is most likely also not what you are looking for. This book contains vocabularies only and we expect buyers to learn things like grammar and pronunciation either from other sources or through language courses. The strength of this book is its focus on quick acquisition of core vocabularies which comes at the expense of information many people might expect in a conventional language learning book. Please be aware of this when making the purchase.

How to use this book

This book is ideally used on a daily basis, reviewing a set number of pages in each session. The book is split into sections of 25 vocabularies which allows you to step by step progress through the book. Let's for example say you are currently reviewing vocabularies 101 to 200. Once you know vocabularies 101 to 125 very well, you can start learning vocabularies 201 to 225 and on the next day skip 101-125 and continue reviewing vocabularies 126 to 225. This way, step by step, you will work your way through the book and your language skills will jump with each page you master.

Pinhok Languages

Pinhok Languages strives to create language learning products that support learners around the world in their mission of learning a new language. In doing so, we combine best practice from various fields and industries to come up with innovative products and material.

The Pinhok Team hopes this book can help you with your learning process and gets you to your goal faster. Should you be interested in finding out more about us, please go to our website www.pinhok.com. For feedback, error reports, criticism or simply a quick "hi", please also go to our website and use the contact form.

Disclaimer of Liability

I	jac (ĵas)
you (singular)	ти (ti)
he	тој (toj)
she	таа (taa)
it	тоа (toa)
we	ние (nie)
you (plural)	вие (vie)
they	тие (tie)
what	што (što)
who	кој (koĵ)
where	каде (kade)
why	зошто (zošto)
how	како (kako)
which	кој (koĵ)
when	кога (koga)
then	тогаш (togaš)
if	ако (ako)
really	навистина (navistina)
but	но (no)
because	бидејќи (bideĵḱi)
not	не (ne)
this	ова (ova)
I need this	Ми треба ова (Mi treba ova)
How much is this?	Колку чини ова? (Kolku čini ova?)
that	тоа (toa)

all	сите (site)
or	или (ili)
and	и (i)
to know	да знае (da znae / дознава, знае - doznava, znae)
I know	Знам (Znam)
I don't know	Не знам (Ne znam)
to think	да размислува (da razmisluva / размисли, размислува - razmisli, razmisluva)
to come	да дојде (da dojde / дојде, доаѓа - dojde, doaѓa)
to put	да стави (da stavi / стави, става - stavi, stava)
to take	да земе (da zeme / зеде, зема - zede, zema)
to find	да најде (da najde / најде, наоѓа - najde, naoѓa)
to listen	да слуша (da sluša / слушне, слуша - slušne, sluša)
to work	да работи (da raboti / сработи, работи - sraboti, raboti)
to talk	да зборува (da zboruva / зборне, зборува - zborne, zboruva)
to give (somebody something)	да даде (da dade / даде, дава - dade, dava)
to like	да сака (da saka / посака, сака - posaka, saka)
to help	да помогне (da pomogne / помогне, помага - pomogne, pomaga)
to love	да љуби (da ljubi / заљуби, љуби - zaljubi, ljubi)
to call	да се јави (da se javi / се јави, се јавува - se javi, se javuva)
to wait	да чека (da čeka / почека, чека - počeka, čeka)
I like you	Ми се допаѓаш (Mi se dopaѓaš)
I don't like this	Не ми се допаѓа ова (Ne mi se dopaѓa ova)
Do you love me?	Дали ме сакаш? (Dali me sakaš?)
I love you	Те сакам (Te sakam)
0	нула (nula)

51 - 75

1	еден (eden)	
2	два (dva)	
3	три (tri)	
4	четири (četiri)	
5	пет (pet)	
6	шест (šest)	
7	седум (sedum)	
8	осум (osum)	
9	девет (devet)	
10	десет (deset)	
11	единаесет (edinaeset)	
12	дванаесет (dvanaeset)	
13	тринаесет (trinaeset)	
14	четиринаесет (četirinaeset)	
15	петнаесет (petnaeset)	
16	шеснаесет (šesnaeset)	
17	седумнаесет (sedumnaeset)	
18	осумнаесет (osumnaeset)	
19	деветнаесет (devetnaeset)	
20	дваесет (dvaeset)	
new	ново (novo / нов, нова, ново, нови - nov, nova, novo, novi)	
old (not new)	старо (staro / стар, стара, старо, стари - star, stara, staro, stari)	
few	малку (malku)	
many	многу (mnogu)	
how much?	колку? (kolku?)	

how many?	колку? (kolku?)
wrong	погрешно (pogrešno / погрешен, погрешна, погрешно, погрешни - pogrešen, pogrešna, pogrešno, pogrešni)
correct	точно (točno / точен, точна, точно, точни - točen, točna, točno, točni)
bad	лош (loš / лош, лоша, лошо, лоши - loš, loša, lošo, loši)
good	добар (dobar / добар, добра, добро, добри - dobar, dobra, dobro, dobri)
happy	среќен (sreken / среќен, среќна, среќно, среќни - sreken, srekna, srekno, srekni)
short (length)	кратко (kratko / краток, кратка, кратко, кратки - kratok, kratka, kratko, kratki)
long	долго (dolgo / долг, долга, долго, долги - dolg, dolga, dolgo, dolgi)
small	мало (malo / мал, мала, мало, мали - mal, mala, malo, mali)
big	големо (golemo / голем, голема, големо, големи - golem, golema, golemo, golemi)
there	таму (tamu)
here	овде (ovde)
right	десно (desno)
left	лево (levo)
beautiful	убав (ubav / убав, убава, убаво, убави - ubav, ubava, ubavo, ubavi)
young	млад (mlad / млад, млада, младо, млади - mlad, mlada, mlado, mladi)
old (not young)	стар (star / стар, стара, старо, стари - star, stara, staro, stari)
hello	здраво (zdravo)
see you later	се гледаме подоцна (se gledame podocna)
ok	во ред (vo red)
take care	чувај се (čuvaj se)
don't worry	не грижи се (ne griži se)
of course	секако (sekako)
good day	добар ден (dobar den)
hi	еј (ej)

bye bye	чао (čao)
good bye	збогум (zbogum)
excuse me	се извинувам (se izvinuvam)
sorry	извини (izvini)
thank you	благодарам (blagodaram)
please	те молам (te molam)
I want this	Го сакам ова (Go sakam ova)
now	сега (sega)
afternoon	(N) попладне (popladne / попладниња - popladniña)
morning (9:00-11:00)	(N) претпладне (pretpladne / претпладниња - pretpladniña)
night	(F) навечер (navečer / навечер - navečer)
morning (6:00-9:00)	(N) наутро (nautro / наутро - nautro)
evening	(F) вечер (večer / вечери - večeri)
noon	(N) пладне (pladne / пладниња - pladniña)
midnight	(F) полноќ (polnok / полноќ - polnok)
hour	(M) час (čas / часови - časovi)
minute	(F) минута (minuta / минути - minuti)
second (time)	(F) секунда (sekunda / секунди - sekundi)
day	(M) ден (den / денови - denovi)
week	(F) недела (nedela / недели - nedeli)
month	(M) месец (mesec / месеци - meseci)
year	(F) година (godina / години - godini)
time	(N) време (vreme / времиња - vremiña)
date (time)	(M) датум (datum / датуми - datumi)
the day before yesterday	завчера (zavčera)

yesterday	вчера (včera)
today	денес (denes)
tomorrow	утре (utre)
the day after tomorrow	задутре (zadutre)
Monday	(M) понеделник (ponedelnik / понеделници - ponedelnici)
Tuesday	(M) вторник (vtornik / вторници - vtornici)
Wednesday	(F) среда (sreda / среди - sredi)
Thursday	(M) четврток (četvrtok / четвртоци - četvrtoci)
Friday	(M) петок (petok / петоци - petoci)
Saturday	(F) сабота (sabota / саботи - saboti)
Sunday	(F) недела (nedela / недели - nedeli)
Tomorrow is Saturday	Утре е сабота (Utre e sabota)
life	(M) живот (život / животи - životi)
woman	(F) жена (žena / жени - ženi)
man	(M) маж (maž / мажи - maži)
love	(F) љубов (l̂ubov / љубови - l̂ubovi)
boyfriend	(M) дечко (dečko / дечковци - dečkovci)
girlfriend	(F) девојка (devojka / девојки - devojki)
friend	(M) пријател (prijatel / пријатели - prijateli)
kiss	(M) бакнеж (baknež / бакнежи - bakneži)
sex	(M) секс (seks / секс - seks)
child	(N) дете (dete / деца - deca)
baby	(N) бебе (bebe / бебиња - bebiña)
girl	(N) девојче (devojče / девојчиња - devojčiña)
boy	(N) момче (momče / момчиња - momčiña)

mum	(F) **мама** (mama / мајки - maǰki)
dad	(M) **тато** (tato / татковци - tatkovci)
mother	(F) **мајка** (maǰka / мајки - maǰki)
father	(M) **татко** (tatko / татковци - tatkovci)
parents	(M) **родители** (roditeli / родители - roditeli)
son	(M) **син** (sin / синови - sinovi)
daughter	(F) **ќерка** (ḱerka / ќерки - ḱerki)
little sister	(F) **помала сестра** (pomala sestra / помали сестри - pomali sestri)
little brother	(M) **помал брат** (pomal brat / помали браќа - pomali braka)
big sister	(F) **поголема сестра** (pogolema sestra / поголеми сестри - pogolemi sestri)
big brother	(M) **поголем брат** (pogolem brat / поголеми браќа - pogolemi braka)
to stand	**да стои** (da stoi / застане, стои - zastane, stoi)
to sit	**да седи** (da sedi / седне, седи - sedne, sedi)
to lie	**да легне** (da legne / легна, легнува - legna, legnuva)
to close	**да затвори** (da zatvori / затвори, затвора - zatvori, zatvora)
to open (e.g. a door)	**да отвори** (da otvori / отвори, отвора - otvori, otvora)
to lose	**да изгуби** (da izgubi / изгуби, губи - izgubi, gubi)
to win	**да победи** (da pobedi / победи, победува - pobedi, pobeduva)
to die	**да умре** (da umre / умре, умира - umre, umira)
to live	**да живее** (da živee / изживее, живее - izživee, živee)
to turn on	**да вклучи** (da vkluči / вклучи, вклучува - vkluči, vklučuva)
to turn off	**да исклучи** (da iskluči / исклучи, исклучува - iskluči, isklučuva)
to kill	**да убие** (da ubie / уби, убива - ubi, ubiva)
to injure	**да повреди** (da povredi / повреди, повредува - povredi, povreduva)
to touch	**да допира** (da dopira / допре, допира - dopre, dopira)

to watch	да гледа (da gleda / погледа, гледа - pogleda, gleda)
to drink	да пие (da pie / испие, пие - ispie, pie)
to eat	да јаде (da jade / изеде, јаде - izede, jade)
to walk	да оди (da odi / отиде, оди - otide, odi)
to meet	да сретне (da sretne / сретне, сретнува - sretne, sretnuva)
to bet	да се клади (da se kladi / -, се клади - -, se kladi)
to kiss	да бакнува (da baknuva / бакне, бакнува - bakne, baknuva)
to follow	да следи (da sledi / проследи, следи - prosledi, sledi)
to marry	да се венча (da se venča / се венча, се венча - se venča, se venča)
to answer	да одговори (da odgovori / одговори, одговара - odgovori, odgovara)
to ask	да праша (da praša / праша, прашува - praša, prašuva)
question	прашање (prašaňe)
company	(F) компанија (kompanija / компании - kompanii)
business	(M) бизнис (biznis / бизниси - biznisi)
job	(F) работа (rabota / работи - raboti)
money	(F) пари (pari / пари - pari)
telephone	(M) телефон (telefon / телефони - telefoni)
office	(F) канцеларија (kancelarija / канцеларии - kancelarii)
doctor	(M) доктор (doktor / доктори - doktori)
hospital	(F) болница (bolnica / болници - bolnici)
nurse	(F) медицинска сестра (medicinska sestra / медицински сестри - medicinski sestri)
policeman	(M) полицаец (policaec / полицајци - policajci)
president (of a state)	(M) претседател (pretsedatel / претседатели - pretsedateli)
white	бела (bela / бел, бела, бело, бели - bel, bela, belo, beli)
black	црна (crna / црн, црна, црно, црни - crn, crna, crno, crni)

red	црвена (crvena / црвен, црвена, црвено, црвени - crven, crvena, crveno, crveni)
blue	сина (sina / син, сина, сино, сини - sin, sina, sino, sini)
green	зелена (zelena / зелен, зелена, зелено, зелени - zelen, zelena, zeleno, zeleni)
yellow	жолта (žolta / жолт, жолта, жолто, жолти - žolt, žolta, žolto, žolti)
slow	бавен (baven / бавен, бавна, бавно, бавни - baven, bavna, bavno, bavni)
quick	брзо (brzo / брз, брза, брзо, брзи - brz, brza, brzo, brzi)
funny	смешно (smešno / смешен, смешна, смешно, смешни - smešen, smešna, smešno, smešni)
unfair	нефер (nefer / нефер, нефер, нефер, нефер - nefer, nefer, nefer, nefer)
fair	фер (fer / фер, фер, фер, фер - fer, fer, fer, fer)
difficult	тешко (teško / тежок, тешка, тешко, тешки - težok, teška, teško, teški)
easy	лесно (lesno / лесен, лесна, лесно, лесни - lesen, lesna, lesno, lesni)
This is difficult	Ова е тешко (Ova e teško)
rich	богат (bogat / богат, богата, богато, богати - bogat, bogata, bogato, bogati)
poor	сиромашен (siromašen / сиромашен, сиромашна, сиромашно, сиромашни - siromašen, siromašna, siromašno, siromašni)
strong	силен (silen / силен, силна, силно, силни - silen, silna, silno, silni)
weak	слаб (slab / слаб, слаба, слабо, слаби - slab, slaba, slabo, slabi)
safe (adjective)	безбеден (bezbeden / безбеден, безбедна, безбедно, безбедни - bezbeden, bezbedna, bezbedno, bezbedni)
tired	уморен (umoren / уморен, уморна, уморно, уморни - umoren, umorna, umorno, umorni)
proud	горд (gord / горд, горда, гордо, горди - gord, gorda, gordo, gordi)
full (from eating)	најаден (naǰaden / најаден, најадена, најадено, најадени - naǰaden, naǰadena, naǰadeno, naǰadeni)
sick	болен (bolen / болен, болна, болно, болни - bolen, bolna, bolno, bolni)
healthy	здрав (zdrav / здрав, здрава, здраво, здрави - zdrav, zdrava, zdravo, zdravi)

angry	**лут** (lut / лут, лута, луто, лути - lut, luta, luto, luti)
low	**ниско** (nisko / низок, ниска, ниско, ниски - nizok, niska, nisko, niski)
high	**високо** (visoko / висок, висока, високо, високи - visok, visoka, visoko, visoki)

straight (line)	право (pravo / прав, права, право, прави - prav, prava, pravo, pravi)
every	секој (sekoj)
always	секогаш (sekogaš)
actually	всушност (vsušnost)
again	повторно (povtorno)
already	веќе (veke)
less	помалку (pomalku)
most	повеќето (poveketo)
more	повеќе (poveke)
I want more	Сакам уште (Sakam ušte)
none	никој (nikoj)
very	многу (mnogu)
animal	(N) животно (životno / животни - životni)
pig	(F) свиња (sviňa / свињи - sviňi)
cow	(F) крава (krava / крави - kravi)
horse	(M) коњ (koň / коњи - koňi)
dog	(N) куче (kuče / кучиња - kučiňa)
sheep	(F) овца (ovca / овци - ovci)
monkey	(M) мајмун (majmun / мајмуни - majmuni)
cat	(F) мачка (mačka / мачки - mački)
bear	(F) мечка (mečka / мечки - mečki)
chicken (animal)	(F) кокошка (kokoška / кокошки - kokoški)
duck	(F) патка (patka / патки - patki)
butterfly	(F) пеперутка (peperutka / пеперутки - peperutki)
bee	(F) пчела (pčela / пчели - pčeli)

fish (animal)	(F) риба (riba / риби - ribi)
spider	(M) пајак (paǰak / пајаци - paǰaci)
snake	(F) змија (zmiǰa / змии - zmii)
outside	надвор (nadvor)
inside	внатре (vnatre)
far	далеку (daleku)
close	блиску (blisku)
below	под (pod)
above	над (nad)
beside	покрај (pokraǰ)
front	напред (napred)
back (position)	назад (nazad)
sweet	слатко (slatko / сладок, слатка, слатко, слатки - sladok, slatka, slatko, slatki)
sour	кисело (kiselo / кисел, кисела, кисело, кисели - kisel, kisela, kiselo, kiseli)
strange	чудно (čudno / чуден, чудна, чудно, чудни - čuden, čudna, čudno, čudni)
soft	меко (meko / мек, мека, меко, меки - mek, meka, meko, meki)
hard	тврдо (tvrdo / тврд, тврда, тврдо, тврди - tvrd, tvrda, tvrdo, tvrdi)
cute	слатко (slatko / сладок, слатка, слатко, слатки - sladok, slatka, slatko, slatki)
stupid	глупав (glupav / глупав, глупава, глупаво, глупави - glupav, glupava, glupavo, glupavi)
crazy	луд (lud / луд, луда, лудо, луди - lud, luda, ludo, ludi)
busy	зафатен (zafaten / зафатен, зафатена, зафатено, зафатени - zafaten, zafatena, zafateno, zafateni)
tall	високо (visoko / висок, висока, високо, високи - visok, visoka, visoko, visoki)
short (height)	ниско (nisko / низок, ниска, ниско, ниски - nizok, niska, nisko, niski)
worried	загрижено (zagriženo / загрижен, загрижена, загрижено, загрижени - zagrižen, zagrižena, zagriženo, zagriženi)

surprised **изненадено** (iznenadeno / изненаден, изненадена, изненадено, изненадени - iznenaden, iznenadena, iznenadeno, iznenadeni)

cool	**сталожено** (staloženo / сталожен, сталожена, сталожено, сталожени - staložen, staložena, staloženo, staloženi)
well-behaved	**воспитано** (vospitano / воспитан, воспитана, воспитано, воспитани - vospitan, vospitana, vospitano, vospitani)
evil	**зол** (zol / зол, зла, зло, зли - zol, zla, zlo, zli)
clever	**паметен** (pameten / паметен, паметна, паметно, паметни - pameten, pametna, pametno, pametni)
cold (adjective)	**ладно** (ladno / ладен, ладна, ладно, ладни - laden, ladna, ladno, ladni)
hot (temperature)	**жешко** (žeško / жежок, жешка, жешко, жешки - žežok, žeška, žeško, žeški)
head	(F) **глава** (glava / глави - glavi)
nose	(M) **нос** (nos / носови - nosovi)
hair	(F) **коса** (kosa / коси - kosi)
mouth	(F) **уста** (usta / усти - usti)
ear	(N) **уво** (uvo / уши - uši)
eye	(N) **око** (oko / очи - oči)
hand	(F) **рака** (raka / раце - race)
foot	(N) **стопало** (stopalo / стопала - stopala)
heart	(N) **срце** (srce / срца - srca)
brain	(M) **мозок** (mozok / мозоци - mozoci)
to pull (... open)	**да повлече** (da povleče / повлече, повлекува - povleče, povlekuva)
to push (... open)	**да турне** (da turne / турне, турка - turne, turka)
to press (a button)	**да притисне** (da pritisne / притисне, притиска - pritisne, pritiska)
to hit	**да удри** (da udri / удри, удира - udri, udira)
to catch	**да фати** (da fati / фати, фаќа - fati, faќa)
to fight	**да се бори** (da se bori / се избори, се бори - se izbori, se bori)
to throw	**да фрла** (da frla / фрли, фрла - frli, frla)
to run	**да трча** (da trča / истрча, трча - istrča, trča)
to read	**да чита** (da čita / прочита, чита - pročita, čita)

to write	да **пишува** (da pišuva / напише, пишува - napiše, pišuva)
to fix	да **поправи** (da popravi / поправи, поправа - popravi, poprava)
to count	да **изброи** (da izbroi / изброи, брои - izbroi, broi)
to cut	да **пресече** (da preseče / пресече, пресекува - preseče, presekuva)
to sell	да **продаде** (da prodade / продаде, продава - prodade, prodava)
to buy	да **купи** (da kupi / купи, купува - kupi, kupuva)
to pay	да **плати** (da plati / плати, плаќа - plati, plaḱa)
to study	да **учи** (da uči / научи, учи - nauči, uči)
to dream	да **сонува** (da sonuva / сони, сонува - soni, sonuva)
to sleep	да **спие** (da spie / отспие, спие - otspie, spie)
to play	да **игра** (da igra / изигра, игра - izigra, igra)
to celebrate	да **прослави** (da proslavi / прослави, прославува - proslavi, proslavuva)
to rest	да **се одмори** (da se odmori / се одмори, се одмара - se odmori, se odmara)
to enjoy	да **ужива** (da uživa / -, ужива - -, uživa)
to clean	да **чисти** (da čisti / исчисти, чисти - isčisti, čisti)
school	(N) **училиште** (učilište / училишта - učilišta)
house	(F) **куќа** (kuḱa / куќи - kuḱi)
door	(F) **врата** (vrata / врати - vrati)
husband	(M) **сопруг** (soprug / сопрузи - sopruzi)
wife	(F) **сопруга** (supruga / сопруги - suprugi)
wedding	(F) **свадба** (svadba / свадби - svadbi)
person	(F) **личност** (ličnost / личности - ličnosti)
car	(M) **автомобил** (avtomobil / автомобили - avtomobili)
home	(M) **дом** (dom / домови - domovi)
city	(M) **град** (grad / градови - gradovi)

number	(M) број (broj / броеви - broevi)
21	дваесет и еден (dvaeset i eden)
22	дваесет и два (dvaeset i dva)
26	дваесет и шест (dvaeset i šest)
30	триесет (trieset)
31	триесет и еден (trieset i eden)
33	триесет и три (trieset i tri)
37	триесет и седум (trieset i sedum)
40	четириесет (četirieset)
41	четириесет и еден (četirieset i eden)
44	четириесет и четири (četirieset i četiri)
48	четириесет и осум (četirieset i osum)
50	педесет (pedeset)
51	педесет и еден (pedeset i eden)
55	педесет и пет (pedeset i pet)
59	педесет и девет (pedeset i devet)
60	шеесет (šeeset)
61	шеесет и еден (šeeset i eden)
62	шеесет и два (šeeset i dva)
66	шеесет и шест (šeeset i šest)
70	седумдесет (sedumdeset)
71	седумдесет и еден (sedumdeset i eden)
73	седумдесет и три (sedumdeset i tri)
77	седумдесет и седум (sedumdeset i sedum)
80	осумдесет (osumdeset)

81	осумдесет и еден (osumdeset i eden)
84	осумдесет и четири (osumdeset i četiri)
88	осумдесет и осум (osumdeset i osum)
90	деведесет (devedeset)
91	деведесет и еден (devedeset i eden)
95	деведесет и пет (devedeset i pet)
99	деведесет и девет (devedeset i devet)
100	сто (sto)
1000	илјада (iljada)
10.000	десет илјади (deset iljadi)
100.000	сто илјади (sto iljadi)
1.000.000	милион (milion)
my dog	моето куче (moeto kuče)
your cat	твојата мачка (tvojata mačka)
her dress	нејзиниот фустан (nejziniot fustan)
his car	неговата кола (negovata kola)
its ball	неговото топче (negovoto topče)
our home	нашиот дом (našiot dom)
your team	вашиот тим (vašiot tim)
their company	нивната компанија (nivnata kompanija)
everybody	сите (site)
together	заедно (zaedno)
other	други (drugi)
doesn't matter	не е важно (ne e važno)
cheers	на здравје (na zdravje)

relax	опушти се (opušti se)
I agree	се согласувам (se soglasuvam)
welcome	добредојде (dobredojde)
no worries	без грижи (bez griži)
turn right	сврти десно (svrti desno)
turn left	сврти лево (svrti levo)
go straight	оди право (odi pravo)
Come with me	Дојди со мене (Dojdi so mene)
egg	(N) јајце (jajce / јајца - jajca)
cheese	(M) кашкавал (kaškaval / кашкавали - kaškavali)
milk	(N) млеко (mleko / млека - mleka)
fish (to eat)	(F) риба (riba / риби - ribi)
meat	(N) месо (meso / меса - mesa)
vegetable	(M) зеленчук (zelenčuk / зеленчуци - zelenčuci)
fruit	(N) овошје (ovošje / овошја - ovošja)
bone (food)	(F) коска (koska / коски - koski)
oil	(N) масло (maslo / масла - masla)
bread	(M) леб (leb / лебови - lebovi)
sugar	(M) шеќер (šeḱer / шеќери - šeḱeri)
chocolate	(N) чоколадо (čokolado / чоколада - čokolada)
candy	(F) бонбони (bonboni / бонбони - bonboni)
cake	(F) торта (torta / торти - torti)
drink	(M) пијалок (pijalok / пијалоци - pijaloci)
water	(F) вода (voda / води - vodi)
soda	(F) сода (soda / соди - sodi)

coffee	(N) кафе (kafe / кафиња - kafiña)
tea	(M) чај (čaj / чаеви - čaevi)
beer	(N) пиво (pivo / пива - piva)
wine	(N) вино (vino / вина - vina)
salad	(F) салата (salata / салати - salati)
soup	(F) супа (supa / супи - supi)
dessert	(M) десерт (desert / десерти - deserti)
breakfast	(M) доручек (doruček / доручеци - doručeci)
lunch	(M) ручек (ruček / ручеци - ručeci)
dinner	(F) вечера (večera / вечери - večeri)
pizza	(F) пица (pica / пици - pici)
bus	(M) автобус (avtobus / автобуси - avtobusi)
train	(M) воз (voz / возови - vozovi)
train station	(F) железничка станица (železnička stanica / железнички станици - železnički stanici)
bus stop	(F) автобуска постојка (avtobuska postojka / автобуски постојки - avtobuski postojki)
plane	(M) авион (avion / авиони - avioni)
ship	(M) брод (brod / бродови - brodovi)
lorry	(M) камион (kamion / камиони - kamioni)
bicycle	(M) велосипед (velosiped / велосипеди - velosipedi)
motorcycle	(M) мотоцикл (motocikl / мотоцикли - motocikli)
taxi	(N) такси (taksi / такси - taksi)
traffic light	(M) семафор (semafor / семафори - semafori)
car park	(M) паркинг (parking / паркинзи - parkinzi)
road	(M) пат (pat / патишта - patišta)
clothing	(F) облека (obleka / облеки - obleki)

shoe	(M) чевел (čevel / чевли - čevli)
coat	(M) капут (kaput / капути - kaputi)
sweater	(M) џемпер (đemper / џемпери - đemperi)
shirt	(F) кошула (košula / кошули - košuli)
jacket	(F) јакна (ǰakna / јакни - ǰakni)
suit	(N) одело (odelo / одела - odela)
trousers	(F) панталони (pantaloni / панталони - pantaloni)
dress	(M) фустан (fustan / фустани - fustani)
T-shirt	(F) маица (maica / маици - maici)
sock	(M) чорап (čorap / чорапи - čorapi)
bra	(M) градник (gradnik / градници - gradnici)
underpants	(F) гаќи (gaḱi / гаќи - gaḱi)
glasses	(N) очила (očila / очила - očila)
handbag	(F) рачна ташна (račna tašna / рачни ташни - rači tašni)
purse	(F) чанта (čanta / чанти - čanti)
wallet	(M) паричник (paričnik / паричници - paričnici)
ring	(M) прстен (prsten / прстени - prsteni)
hat	(F) капа (kapa / капи - kapi)
watch	(M) часовник (časovnik / часовници - časovnici)
pocket	(M) џеб (đeb / џебови - đebovi)
What's your name?	Како се викаш? (Kako se vikaš?)
My name is David	Моето име е Дејвид (Moeto ime e Deǰvid)
I'm 22 years old	Имам 22 години (Imam 22 godini)
How are you?	Како си? (Kako si?)
Are you ok?	Дали си добро? (Dali si dobro?)

Where is the toilet?	Каде е тоалетот? (Kade e toaletot?)
I miss you	Ми фалиш (Mi fališ)
spring	(F) пролет (prolet / пролети - proleti)
summer	(N) лето (leto / лета - leta)
autumn	(F) есен (esen / есени - eseni)
winter	(F) зима (zima / зими - zimi)
January	(M) јануари (januari / јануари - januari)
February	(M) февруари (fevruari / февруари - fevruari)
March	(M) март (mart / март - mart)
April	(M) април (april / април - april)
May	(M) мај (maj / мај - maj)
June	(M) јуни (juni / јуни - juni)
July	(M) јули (juli / јули - juli)
August	(M) август (avgust / август - avgust)
September	(M) септември (septemvri / септември - septemvri)
October	(M) октомври (oktomvri / октомври - oktomvri)
November	(M) ноември (noemvri / ноември - noemvri)
December	(M) декември (dekemvri / декември - dekemvri)
shopping	(M) шопинг (šoping / шопинзи - šopinzi)
bill	(F) сметка (smetka / сметки - smetki)
market	(M) пазар (pazar / пазари - pazari)
supermarket	(M) супермаркет (supermarket / супермаркети - supermarketi)
building	(F) зграда (zgrada / згради - zgradi)
apartment	(M) стан (stan / станови - stanovi)
university	(M) универзитет (univerzitet / универзитети - univerziteti)

farm	(F) фарма (farma / фарми - farmi)
church	(F) црква (crkva / цркви - crkvi)
restaurant	(M) ресторан (restoran / ресторани - restorani)
bar	(M) бар (bar / барови - barovi)
gym	(F) теретана (teretana / теретани - teretani)
park	(M) парк (park / паркови - parkovi)
toilet (public)	(M) тоалет (toalet / тоалети - toaleti)
map	(F) мапа (mapa / мапи - mapi)
ambulance	(F) брза помош (brza pomoš / брза помош - brza pomoš)
police	(F) полиција (policija / полиции - policii)
gun	(M) пиштол (pištol / пиштоли - pištoli)
firefighters	(M) пожарникари (požarnikari / пожарникари - požarnikari)
country	(F) земја (zemja / земји - zemji)
suburb	(N) предградие (predgradie / предградија - predgradija)
village	(N) село (selo / села - sela)
health	(N) здравје (zdravje / здравје - zdravje)
medicine	(M) лек (lek / лекови - lekovi)
accident	(F) несреќа (nesreḱa / несреќи - nesreḱi)
patient	(M) пациент (pacient / пациенти - pacienti)
surgery	(F) операција (operacija / операции - operacii)
pill	(F) пилула (pilula / пилули - piluli)
fever	(F) треска (treska / трески - treski)
cold (sickness)	(F) настинка (nastinka / настинки - nastinki)
wound	(F) рана (rana / рани - rani)
appointment	(M) термин (termin / термини - termini)

cough	(F) кашлица (kašlica / кашлици - kašlici)
neck	(M) врат (vrat / вратови - vratovi)
bottom	(M) задник (zadnik / задници - zadnici)
shoulder	(N) рамо (ramo / рамена - ramena)
knee	(N) колено (koleno / колена - kolena)
leg	(F) нога (noga / нозе - noze)
arm	(F) рака (raka / раце - race)
belly	(M) стомак (stomak / стомаци - stomaci)
bosom	(F) града (grada / гради - gradi)
back (part of body)	(M) грб (grb / грбови - grbovi)
tooth	(M) заб (zab / заби - zabi)
tongue	(M) јазик (jazik / јазици - jazici)
lip	(F) усна (usna / усни - usni)
finger	(M) прст (prst / прсти - prsti)
toe	(M) прст на нога (prst na noga / прсти на нога - prsti na noga)
stomach	(M) желудник (želudnik / желудници - želudnici)
lung	(M) бели дробови (beli drobovi / бели дробови - beli drobovi)
liver	(M) црн дроб (crn drob / црни дробови - crni drobovi)
nerve	(M) нерв (nerv / нерви - nervi)
kidney	(M) бубрег (bubreg / бубрези - bubrezi)
intestine	(N) црева (creva / црева - creva)
colour	(F) боја (boja / бои - boi)
orange (colour)	портокалова (portokalova / портокалов, портокалова, портокалово, портокалови - portokalov, portokalova, portokalovo, portokalovi)
grey	сива (siva / сив, сива, сиво, сиви - siv, siva, sivo, sivi)
brown	кафеава (kafeava / кафеав, кафеава, кафеаво, кафеави - kafeav, kafeava, kafeavo, kafeavi)

pink	**розова** (rozova / розов, розова, розово, розови - rozov, rozova, rozovo, rozovi)
boring	**здодевен** (zdodeven / здодевен, здодевна, здодевно, здодевни - zdodeven, zdodevna, zdodevno, zdodevni)
heavy	**тешко** (teško / тежок, тешка, тешко, тешки - težok, teška, teško, teški)
light (weight)	**лесно** (lesno / лесен, лесна, лесно, лесни - lesen, lesna, lesno, lesni)
lonely	**осамен** (osamen / осамен, осамена, осамено, осамени - osamen, osamena, osameno, osameni)
hungry	**гладен** (gladen / гладен, гладна, гладно, гладни - gladen, gladna, gladno, gladni)
thirsty	**жеден** (žeden / жеден, жедна, жедно, жедни - žeden, žedna, žedno, žedni)
sad	**тажен** (tažen / тажен, тажна, тажно, тажни - tažen, tažna, tažno, tažni)
steep	**стрмно** (strmno / стрмен, стрмна, стрмно, стрмни - strmen, strmna, strmno, strmni)
flat	**рамно** (ramno / рамен, рамна, рамно, рамни - ramen, ramna, ramno, ramni)
round	**округло** (okruglo / округол, округла, округло, округли - okrugol, okrugla, okruglo, okrugli)
square (adjective)	**коцкесто** (kockesto / коцкест, коцкеста, коцкесто, коцкести - kockest, kockesta, kockesto, kockesti)
narrow	**тесно** (tesno / тесен, тесна, тесно, тесни - tesen, tesna, tesno, tesni)
broad	**широко** (široko / широк, широка, широко, широки - širok, široka, široko, široki)
deep	**длабоко** (dlaboko / длабок, длабока, длабоко, длабоки - dlabok, dlaboka, dlaboko, dlaboki)
shallow	**плитко** (plitko / плиток, плитка, плитко, плитки - plitok, plitka, plitko, plitki)
huge	**огромно** (ogromno / огромен, огромна, огромно, огромни - ogromen, ogromna, ogromno, ogromni)
north	**север** (sever)
east	**исток** (istok)
south	**југ** (jug)
west	**запад** (zapad)

dirty	**валкано** (valkano / валкан, валкана, валкано, валкани - valkan, valkana, valkano, valkani)
clean	**чисто** (čisto / чист, чиста, чисто, чисти - čist, čista, čisto, čisti)
full (not empty)	**полно** (polno / полн, полна, полно, полни - poln, polna, polno, polni)
empty	**празно** (prazno / празен, празна, празно, празни - prazen, prazna, prazno, prazni)

expensive	скапо (skapo / скап, скапа, скапо, скапи - skap, skapa, skapo, skapi)
cheap	евтино (evtino / евтин, евтина, евтино, евтини - evtin, evtina, evtino, evtini)
dark	темно (temno / темен, темна, темно, темни - temen, temna, temno, temni)
light (colour)	светло (svetlo / светол, светла, светло, светли - svetol, svetla, svetlo, svetli)
sexy	секси (seksi / секси, секси, секси, секси - seksi, seksi, seksi, seksi)
lazy	мрзлив (mrzliv / мрзлив, мрзлива, мрзливо, мрзливи - mrzliv, mrzliva, mrzlivo, mrzlivi)
brave	храбар (hrabar / храбар, храбра, храбро, храбри - hrabar, hrabra, hrabro, hrabri)
generous	дарежлив (darežliv / дарежлив, дарежлива, дарежливо, дарежливи - darežliv, darežliva, darežlivo, darežlivi)
handsome	згоден (zgoden / згоден, згодна, згодно, згодни - zgoden, zgodna, zgodno, zgodni)
ugly	грд (grd / грд, грда, грдо, грди - grd, grda, grdo, grdi)
silly	будалест (budalest / будалест, будалеста, будалесто, будалести - budalest, budalesta, budalesto, budalesti)
friendly	пријателски (prijatelski / пријателски, пријателска, пријателско, пријателски - prijatelski, prijatelska, prijatelsko, prijatelski)
guilty	виновен (vinoven / виновен, виновна, виновно, виновни - vinoven, vinovna, vinovno, vinovni)
blind	слеп (slep / слеп, слепа, слепо, слепи - slep, slepa, slepo, slepi)
drunk	пијан (pijan / пијан, пијана, пијано, пијани - pijan, pijana, pijano, pijani)
wet	влажно (vlažno / влажен, влажна, влажно, влажни - vlažen, vlažna, vlažno, vlažni)
dry	суво (suvo / сув, сува, суво, суви - suv, suva, suvo, suvi)
warm	топло (toplo / топол, топла, топло, топли - topol, topla, toplo, topli)
loud	гласно (glasno / гласен, гласна, гласно, гласни - glasen, glasna, glasno, glasni)
quiet	тивко (tivko / тивок, тивка, тивко, тивки - tivok, tivka, tivko, tivki)
silent	мирно (mirno / мирен, мирна, мирно, мирни - miren, mirna, mirno, mirni)

kitchen	(F) кујна (kujna / кујни - kujni)
bathroom	(N) купатило (kupatilo / купатила - kupatila)
living room	(F) дневна соба (dnevna soba / дневни соби - dnevni sobi)
bedroom	(F) спална соба (spalna soba / спални соби - spalni sobi)

garden	(F) градина (gradina / градини - gradini)
garage	(F) гаража (garaža / гаражи - garaži)
wall	(M) ѕид (žid / ѕидови - židovi)
basement	(M) подрум (podrum / подруми - podrumi)
toilet (at home)	(M) тоалет (toalet / тоалети - toaleti)
stairs	(F) скали (skali / скали - skali)
roof	(M) покрив (pokriv / покриви - pokrivi)
window (building)	(M) прозорец (prozorec / прозорци - prozorci)
knife	(M) нож (nož / ножеви - noževi)
cup (for hot drinks)	(M) филџан (fildžan / филџани - fildžani)
glass	(F) стаклена чаша (staklena čaša / стаклени чаши - stakleni čaši)
plate	(F) чинија (činija / чинии - činii)
cup (for cold drinks)	(F) шолја (šolja / шолји - šolji)
garbage bin	(F) корпа за отпадоци (korpa za otpadoci / корпи за отпадоци - korpi za otpadoci)
bowl	(F) длабока чинија (dlaboka činija / длабоки чинии - dlaboki činii)
TV set	(M) ТВ сет (TV set / ТВ сетови - TV setovi)
desk	(N) биро (biro / бироа - biroa)
bed	(M) кревет (krevet / кревети - kreveti)
mirror	(N) огледало (ogledalo / огледала - ogledala)
shower	(M) туш (tuš / тушеви - tuševi)
sofa	(F) софа (sofa / софи - sofi)
picture	(F) слика (slika / слики - sliki)
clock	(M) часовник (časovnik / часовници - časovnici)
table	(F) маса (masa / маси - masi)
chair	(M) стол (stol / столови - stolovi)

swimming pool (garden)	(M) **базен** (bazen / базени - bazeni)
bell	(N) **ѕвонче** (ѕvonče / ѕвончиња - ѕvončiňa)
neighbour	(M) **сосед** (sosed / соседи - sosedi)
to fail	**да не успее** (da ne uspee / не успее, не успева - ne uspee, ne uspeva)
to choose	**да избере** (da izbere / избере, бира - izbere, bira)
to shoot	**да пука** (da puka / испука, пука - ispuka, puka)
to vote	**да гласа** (da glasa / изгласа, гласа - izglasa, glasa)
to fall	**да падне** (da padne / падна, паѓа - padna, paǵa)
to defend	**да одбрани** (da odbrani / одбрани, одбранува - odbrani, odbranuva)
to attack	**да нападне** (da napadne / нападна, напаѓа - napadna, napaǵa)
to steal	**да краде** (da krade / украде, краде - ukrade, krade)
to burn	**да гори** (da gori / изгори, гори - izgori, gori)
to rescue	**да спаси** (da spasi / спаси, спасува - spasi, spasuva)
to smoke	**да пуши** (da puši / испуши, пуши - ispuši, puši)
to fly	**да лета** (da leta / летне, лета - letne, leta)
to carry	**да носи** (da nosi / донесе, носи - donese, nosi)
to spit	**да плука** (da pluka / плукне, плука - plukne, pluka)
to kick	**да клоца** (da kloca / клоцне, клоца - klocne, kloca)
to bite	**да каса** (da kasa / касне, каса - kasne, kasa)
to breathe	**да дише** (da diše / дише, дише - diše, diše)
to smell	**да мириса** (da mirisa / помириса, мириса - pomirisa, mirisa)
to cry	**да плаче** (da plače / заплаче, плаче - zaplače, plače)
to sing	**да пее** (da pee / испее, пее - ispee, pee)
to smile	**да се насмевнува** (da se nasmevnuva / се насмевне, се насмевнува - se nasmevne, se nasmevnuva)
to laugh	**да се смее** (da se smee / се насмее, се смее - se nasmee, se smee)

to grow	да расте (da raste / израсне, расте - izrasne, raste)
to shrink	да се смалува (da se smaluva / се смали, се смалува - se smali, se smaluva)
to argue	да се расправа (da se rasprava / расправи, расправа - raspravi, rasprava)
to threaten	да се заканува (da se zakanuva / се закани, се заканува - se zakani, se zakanuva)
to share	да сподели (da spodeli / сподели, споделува - spodeli, spodeluva)
to feed	да храни (da hrani / нахрани, храни - nahrani, hrani)
to hide	да се крие (da se krie / се скрие, се крие - se skrie, se krie)
to warn	да предупреди (da predupredi / предупреди, предупредува - predupredi, predupreduva)
to swim	да плива (da pliva / исплива, плива - ispliva, pliva)
to jump	да скока (da skoka / скокне, скока - skokne, skoka)
to roll	да се тркала (da se trkala / се истркала, се тркала - se istrkala, se trkala)
to lift	да крене (da krene / крене, крева - krene, kreva)
to dig	да копа (da kopa / ископа, копа - iskopa, kopa)
to copy	да копира (da kopira / ископира, копира - iskopira, kopira)
to deliver	да достави (da dostavi / достави, доставува - dostavi, dostavuva)
to look for	да бара (da bara / побара, бара - pobara, bara)
to practice	да вежба (da vežba / извежба, вежба - izvežba, vežba)
to travel	да патува (da patuva / отпатува, патува - otpatuva, patuva)
to paint	да слика (da slika / наслика, слика - naslika, slika)
to take a shower	да се тушира (da se tušira / се истушира, се тушира - se istušira, se tušira)
to open (unlock)	да отвори (da otvori / отвори, отвора - otvori, otvora)
to lock	да заклучи (da zakluči / заклучи, заклучува - zakluči, zaklučuva)
to wash	да мие (da mie / измие, мие - izmie, mie)
to pray	да се моли (da se moli / се помоли, се моли - se pomoli, se moli)
to cook	да готви (da gotvi / зготви, готви - zgotvi, gotvi)

book	(F) книга (kniga / книги - knigi)
library	(F) библиотека (biblioteka / библиотеки - biblioteki)
homework	(F) домашна работа (domašna rabota / домашни работи - domašni raboti)
exam	(M) испит (ispit / испити - ispiti)
lesson	(M) час (čas / часови - časovi)
science	(F) наука (nauka / науки - nauki)
history	(F) историја (istorija / историја - istorija)
art	(N) ликовно (likovno / ликовно - likovno)
English	(M) англиски (angliski / англиски - angliski)
French	(M) француски (francuski / француски - francuski)
pen	(N) пенкало (penkalo / пенкала - penkala)
pencil	(M) молив (moliv / моливи - molivi)
3%	три проценти (tri procenti)
first	(M) прв (prv / први - prvi)
second (2nd)	(M) втор (vtor / втори - vtori)
third	(M) трет (tret / трети - treti)
fourth	(M) четврти (četvrti / четврти - četvrti)
result	(M) резултат (rezultat / резултати - rezultati)
square (shape)	(M) квадрат (kvadrat / квадрати - kvadrati)
circle	(M) круг (krug / кругови - krugovi)
area	(F) површина (površina / површини - površini)
research	(N) истражување (istražuvańe / истражувања - istražuvańa)
degree	(F) диплома (diploma / дипломи - diplomi)
bachelor	(M) дипломиран (diplomiran / дипломирани - diplomirani)
master	(M) магистер (magister / магистри - magistri)

x < y	x е помало од y (x e pomalo od y)
x > y	x е поголемо од y (x e pogolemo od y)
stress	(M) стрес (stres / стресови - stresovi)
insurance	(N) осигурување (osiguruvaňe / осигурувања - osiguruvaňa)
staff	(M) персонал (personal / персонал - personal)
department	(M) оддел (oddel / оддели - oddeli)
salary	(F) плата (plata / плати - plati)
address	(F) адреса (adresa / адреси - adresi)
letter (post)	(N) писмо (pismo / писма - pisma)
captain	(M) капетан (kapetan / капетани - kapetani)
detective	(M) детектив (detektiv / детективи - detektivi)
pilot	(M) пилот (pilot / пилоти - piloti)
professor	(M) професор (profesor / професори - profesori)
teacher	(M) наставник (nastavnik / наставници - nastavnici)
lawyer	(M) адвокат (advokat / адвокати - advokati)
secretary	(F) секретарка (sekretarka / секретарки - sekretarki)
assistant	(M) асистент (asistent / асистенти - asistenti)
judge	(M) судија (sudiǰa / судии - sudii)
director (business)	(M) директор (direktor / директори - direktori)
manager	(M) менаџер (menaďer / менаџери - menaďeri)
cook	(M) готвач (gotvač / готвачи - gotvači)
taxi driver	(M) таксист (taksist / таксисти - taksisti)
bus driver	(M) возач на автобус (vozač na avtobus / возачи на автобус - vozači na avtobus)
criminal	(M) криминалец (kriminalec / криминалци - kriminalci)
model	(M) модел (model / модели - modeli)

artist	(M) уметник (umetnik / уметници - umetnici)
telephone number	(M) телефонски број (telefonski broj / телефонски броеви - telefonski broevi)
signal (of phone)	(M) сигнал (signal / сигнали - signali)
app	(F) апликација (aplikacija / апликации - aplikacii)
chat	(M) разговор (razgovor / разговори - razgovori)
file	(F) датотека (datoteka / датотеки - datoteki)
url	(N) URL (URL / URL - URL)
e-mail address	(F) е-маил адреса (e-mail adresa / е-маил адреси - e-mail adresi)
website	(F) веб страница (veb stranica / веб страници - veb stranici)
e-mail	(M) е-маил (e-mail / е-маилови - e-mailovi)
mobile phone	(M) мобилен телефон (mobilen telefon / мобилни телефони - mobilni telefoni)
law	(M) закон (zakon / закони - zakoni)
prison	(M) затвор (zatvor / затвори - zatvori)
evidence	(M) доказ (dokaz / докази - dokazi)
fine	(F) казна (kazna / казни - kazni)
witness	(M) сведок (svedok / сведоци - svedoci)
court	(M) суд (sud / судови - sudovi)
signature	(M) потпис (potpis / потписи - potpisi)
loss	(F) загуба (zaguba / загуби - zagubi)
profit	(M) профит (profit / профити - profiti)
customer	(M) клиент (klient / клиенти - klienti)
amount	(M) износ (iznos / износи - iznosi)
credit card	(F) кредитна картичка (kreditna kartička / кредитни картички - kreditni kartički)
password	(F) лозинка (lozinka / лозинки - lozinki)
cash machine	(M) банкомат (bankomat / банкомати - bankomati)

swimming pool (competition)	(M) базен (bazen / базени - bazeni)
power	(F) струја (struja / струи - strui)
camera	(F) камера (kamera / камери - kameri)
radio	(N) радио (radio / радија - radiǰa)
present (gift)	(M) подарок (podarok / подароци - podaroci)
bottle	(N) шише (šiše / шишиња - šišiňa)
bag	(F) кеса (kesa / кеси - kesi)
key	(M) клуч (kluč / клучеви - klučevi)
doll	(F) кукла (kukla / кукли - kukli)
angel	(M) ангел (angel / ангели - angeli)
comb	(M) чешел (češel / чешели - češeli)
toothpaste	(F) паста за заби (pasta za zabi / пасти за заби - pasti za zabi)
toothbrush	(F) четка за заби (četka za zabi / четки за заби - četki za zabi)
shampoo	(M) шампон (šampon / шампони - šamponi)
cream (pharmaceutical)	(F) крема (krema / креми - kremi)
tissue	(F) марамица (maramica / марамици - maramici)
lipstick	(M) кармин (karmin / кармини - karmini)
TV	(F) телевизија (televizija / телевизии - televizii)
cinema	(N) кино (kino / кина - kina)
news	(F) вести (vesti / вести - vesti)
seat	(N) седиште (sedište / седишта - sedišta)
ticket	(M) билет (bilet / билети - bileti)
screen (cinema)	(M) екран (ekran / екрани - ekrani)
music	(F) музика (muzika / музики - muziki)
stage	(F) бина (bina / бини - bini)

audience	(F) публика (publika / публики - publiki)
painting	(N) сликање (slikaňe / сликања - slikaňa)
joke	(M) виц (vic / вицеви - vicevi)
article	(F) статија (statiĵa / статии - statii)
newspaper	(M) весник (vesnik / весници - vesnici)
magazine	(N) списание (spisanie / списанија - spisaniĵa)
advertisement	(F) реклама (reklama / реклами - reklami)
nature	(F) природа (priroda / природа - priroda)
ash	(F) пепел (pepel / пепел - pepel)
fire (general)	(M) оган (ogan / огнови - ognovi)
diamond	(M) дијамант (diĵamant / дијаманти - diĵamanti)
moon	(F) Месечина (Mesečina / Месечини - Mesečini)
earth	(F) Земја (Zemĵa / Земја - Zemĵa)
sun	(N) сонце (sonce / сонца - sonca)
star	(F) звезда (žvezda / звезди - žvezdi)
planet	(F) планета (planeta / планети - planeti)
universe	(F) вселена (vselena / вселени - vseleni)
coast	(F) обала (obala / обали - obali)
lake	(N) езеро (ezero / езера - ezera)
forest	(F) шума (šuma / шуми - šumi)
desert (dry place)	(F) пустина (pustina / пустини - pustini)
hill	(M) рид (rid / ридови - ridovi)
rock (stone)	(M) камен (kamen / камења - kameňa)
river	(F) река (reka / реки - reki)
valley	(F) долина (dolina / долини - dolini)

mountain	(F) планина (planina / планини - planini)
island	(M) остров (ostrov / острови - ostrovi)
ocean	(M) океан (okean / океани - okeani)
sea	(N) море (more / мориња - morińa)
weather	(N) време (vreme / времиња - vremińa)
ice	(M) мраз (mraz / мразови - mrazovi)
snow	(M) снег (sneg / снегови - snegovi)
storm	(F) бура (bura / бури - buri)
rain	(M) дожд (dožd / дождови - doždovi)
wind	(M) ветер (veter / ветрови - vetrovi)
plant	(N) растение (rastenie / растенија - rasteniĭa)
tree	(N) дрво (drvo / дрва - drva)
grass	(F) трева (treva / треви - trevi)
rose	(F) роза (roza / рози - rozi)
flower	(N) цвеќе (cveḱe / цвеќиња - cveḱińa)
gas	(M) гас (gas / гасови - gasovi)
metal	(M) метал (metal / метали - metali)
gold	(N) злато (zlato)
silver	(N) сребро (srebro)
Silver is cheaper than gold	Среброто е поевтино од златото (Srebroto e poevtino od zlatoto)
Gold is more expensive than silver	Златото е поскапо од среброто (Zlatoto e poskapo od srebroto)
holiday	(M) одмор (odmor / одмори - odmori)
member	(M) член (člen / членови - členovi)
hotel	(M) хотел (hotel / хотели - hoteli)
beach	(F) плажа (plaža / плажи - plaži)

guest	(M) гостин (gostin / гости - gosti)
birthday	(M) роденден (rodenden / родендени - rodendeni)
Christmas	(M) Божиќ (Božiḱ / Божиќи - Božiḱi)
New Year	(F) Нова година (Nova godina / Нови години - Novi godini)
Easter	(M) Велигден (Veligden / Велигдени - Veligdeni)
uncle	(M) вујко (vujko / вујковци - vujkovci)
aunt	(F) тетка (tetka / тетки - tetki)
grandmother (paternal)	(F) баба (baba / баби - babi)
grandfather (paternal)	(M) дедо (dedo / дедовци - dedovci)
grandmother (maternal)	(F) баба (baba / баби - babi)
grandfather (maternal)	(M) дедо (dedo / дедовци - dedovci)
death	(F) смрт (smrt / смрт - smrt)
grave	(M) гроб (grob / гробови - grobovi)
divorce	(M) развод (razvod / разводи - razvodi)
bride	(F) невеста (nevesta / невести - nevesti)
groom	(M) младоженец (mladoženec / младоженци - mladoženci)
101	сто и еден (sto i eden)
105	сто и пет (sto i pet)
110	сто и десет (sto i deset)
151	сто педесет и еден (sto pedeset i eden)
200	двесте (dveste)
202	двесте и два (dveste i dva)
206	двесте и шест (dveste i šest)
220	двесте и дваесет (dveste i dvaeset)
262	двесте шеесет и два (dveste šeeset i dva)

300	триста (trista)
303	триста и три (trista i tri)
307	триста и седум (trista i sedum)
330	триста и триесет (trista i trieset)
373	триста седумдесет и три (trista sedumdeset i tri)
400	четиристотини (četiristotini)
404	четиристотини и четири (četiristotini i četiri)
408	четиристотини и осум (četiristotini i osum)
440	четиристотини и четириесет (četiristotini i četirieset)
484	четиристотини осумдесет и четири (četiristotini osumdeset i četiri)
500	петстотини (petstotini)
505	петстотини и пет (petstotini i pet)
509	петстотини и девет (petstotini i devet)
550	петстотини и педесет (petstotini i pedeset)
595	петстотини деведесет и пет (petstotini devedeset i pet)
600	шестотини (šestotini)
601	шестотини и еден (šestotini i eden)
606	шестотини и шест (šestotini i šest)
616	шестотини и шеснаесет (šestotini i šesnaeset)
660	шестотини и шеесет (šestotini i šeeset)
700	седумстотини (sedumstotini)
702	седумстотини и два (sedumstotini i dva)
707	седумстотини и седум (sedumstotini i sedum)
727	седумстотини дваесет и седум (sedumstotini dvaeset i sedum)
770	седумстотини и седумдесет (sedumstotini i sedumdeset)

800	осумстотини (osumstotini)
803	осумстотини и три (osumstotini i tri)
808	осумстотини и осум (osumstotini i osum)
838	осумстотини триесет и осум (osumstotini trieset i osum)
880	осумстотини и осумдесет (osumstotini i osumdeset)
900	деветстотини (devetstotini)
904	деветстотини и четири (devetstotini i četiri)
909	деветстотини и девет (devetstotini i devet)
949	деветстотини четириесет и девет (devetstotini četirieset i devet)
990	деветстотини и деведесет (devetstotini i devedeset)
tiger	(M) тигар (tigar / тигри - tigri)
mouse (animal)	(M) глушец (glušec / глувци - gluvci)
rat	(M) стаорец (staorec / стаорци - staorci)
rabbit	(M) зајак (zaǰak / зајаци - zaǰaci)
lion	(M) лав (lav / лавови - lavovi)
donkey	(N) магаре (magare / магариња - magariňa)
elephant	(M) слон (slon / слонови - slonovi)
bird	(F) птица (ptica / птици - ptici)
cockerel	(M) петел (petel / петли - petli)
pigeon	(M) гулаб (gulab / гулаби - gulabi)
goose	(F) гуска (guska / гуски - guski)
insect	(M) инсект (insekt / инсекти - insekti)
bug	(F) бубачка (bubačka / бубачки - bubački)
mosquito	(M) комарец (komarec / комарци - komarci)
fly	(F) мува (muva / муви - muvi)

ant	(F) мравка (mravka / мравки - mravki)
whale	(M) кит (kit / китови - kitovi)
shark	(F) ајкула (aǰkula / ајкули - aǰkuli)
dolphin	(M) делфин (delfin / делфини - delfini)
snail	(M) полжав (polžav / полжави - polžavi)
frog	(F) жаба (žaba / жаби - žabi)
often	често (često)
immediately	веднаш (vednaš)
suddenly	одеднаш (odednaš)
although	иако (iako)
gymnastics	(F) гимнастика (gimnastika)
tennis	(M) тенис (tenis)
running	(N) трчање (trčańe)
cycling	(M) велосипедизам (velosipedizam)
golf	(M) голф (golf)
ice skating	(N) лизгање на мраз (lizgańe na mraz)
football	(M) фудбал (fudbal)
basketball	(F) кошарка (košarka)
swimming	(N) пливање (plivańe)
diving (under the water)	(N) нуркање (nurkańe)
hiking	(N) планинарење (planinareńe)
United Kingdom	Обединето Кралство (Obedineto Kralstvo)
Spain	Шпанија (Španiǰa)
Switzerland	Швајцарија (Švaǰcariǰa)
Italy	Италија (Italiǰa)

France	Франција (Francija)
Germany	Германија (Germanija)
Thailand	Тајланд (Tajland)
Singapore	Сингапур (Singapur)
Russia	Русија (Rusija)
Japan	Јапонија (Japonija)
Israel	Израел (Izrael)
India	Индија (Indija)
China	Кина (Kina)
The United States of America	Соединети Американски Држави (Soedineti Amerikanski Državi)
Mexico	Мексико (Meksiko)
Canada	Канада (Kanada)
Chile	Чиле (Čile)
Brazil	Бразил (Brazil)
Argentina	Аргентина (Argentina)
South Africa	Јужна Африка (Južna Afrika)
Nigeria	Нигерија (Nigerija)
Morocco	Мароко (Maroko)
Libya	Либија (Libija)
Kenya	Кенија (Kenija)
Algeria	Алжир (Alžir)
Egypt	Египет (Egipet)
New Zealand	Нов Зеланд (Nov Zeland)
Australia	Австралија (Avstralija)
Africa	Африка (Afrika)

Europe	Европа (Evropa)
Asia	Азија (Azija)
America	Америка (Amerika)
quarter of an hour	четвртина час (četvrtina čas)
half an hour	половина час (polovina čas)
three quarters of an hour	три четвртини час (tri četvrtini čas)
1:00	еден часот (eden časot)
2:05	два и пет (dva i pet)
3:10	три и десет (tri i deset)
4:15	четири и петнаесет (četiri i petnaeset)
5:20	пет и дваесет (pet i dvaeset)
6:25	шест и дваесет и пет (šest i dvaeset i pet)
7:30	седум ипол (sedum ipol)
8:35	осум и триесет и пет (osum i trieset i pet)
9:40	дваесет до десет (dvaeset do deset)
10:45	петнаесет до единаесет (petnaeset do edinaeset)
11:50	десет до дванаесет (deset do dvanaeset)
12:55	пет до еден (pet do eden)
one o'clock in the morning	еден часот наутро (eden časot nautro)
two o'clock in the afternoon	два часот попладне (dva časot popladne)
last week	минатата недела (minatata nedela)
this week	оваа недела (ovaa nedela)
next week	следната недела (slednata nedela)
last year	минатата година (minatata godina)
this year	оваа година (ovaa godina)

next year	следната година (slednata godina)
last month	минатиот месец (minatiot mesec)
this month	овој месец (ovoj mesec)
next month	следниот месец (sledniot mesec)
2014-01-01	први јануари две илјади и четиринаесетта (prvi januari dve iljadi i četirinaesetta)
2003-02-25	дваесет и петти февруари две илјади и трета (dvaeset i petti fevruari dve iljadi i treta)
1988-04-12	дванаесетти април илјада деветстотини осумдесет и осма (dvanaesetti april iljada devetstotini osumdeset i osma)
1899-10-13	тринаесетти октомври илјада осумстотини деведесет и деветта (trinaesetti oktomvri iljada osumstotini devedeset i devetta)
1907-09-30	триесетти септември илјада деветстотини и седма (triesetti septemvri iljada devetstotini i sedma)
2000-12-12	дванаесетти декември две илјадита (dvanaesetti dekemvri dve iljadita)
forehead	(N) чело (čelo / чела - čela)
wrinkle	(F) брчка (brčka / брчки - brčki)
chin	(F) брада (brada / бради - bradi)
cheek	(M) образ (obraz / образи - obrazi)
beard	(F) брада (brada / бради - bradi)
eyelashes	(F) трепки (trepki / трепки - trepki)
eyebrow	(F) веѓа (veǵa / веѓи - veǵi)
waist	(M) струк (struk / струкови - strukovi)
nape	(M) тил (til / тилови - tilovi)
chest	(M) граден кош (graden koš / градни кошови - gradni košovi)
thumb	(M) палец (palec / палци - palci)
little finger	(M) мал прст (mal prst / мали прсти - mali prsti)
ring finger	(M) домал прст (domal prst / домали прсти - domali prsti)
middle finger	(M) среден прст (sreden prst / средни прсти - sredni prsti)
index finger	(M) показалец (pokazalec / показалци - pokazalci)

wrist	(M) зглоб (zglob / зглобови - zglobovi)
fingernail	(M) нокт на рака (nokt na raka / нокти на рака - nokti na raka)
heel	(F) петица (petica / петици - petici)
spine	(M) рбет (rbet / рбети - rbeti)
muscle	(M) мускул (muskul / мускули - muskuli)
bone (part of body)	(F) коска (koska / коски - koski)
skeleton	(M) скелет (skelet / скелети - skeleti)
rib	(N) ребро (rebro / ребра - rebra)
vertebra	(M) пршлен (pršlen / пршлени - pršleni)
bladder	(M) мочен меур (močen meur / мочни меури - močni meuri)
vein	(F) вена (vena / вени - veni)
artery	(F) артерија (arterija / артерии - arterii)
vagina	(F) вагина (vagina / вагини - vagini)
sperm	(F) сперма (sperma / сперми - spermi)
penis	(M) пенис (penis / пениси - penisi)
testicle	(M) тестис (testis / тестиси - testisi)
juicy	сочно (sočno / сочен, сочна, сочно, сочни - sočen, sočna, sočno, sočni)
hot (spicy)	луто (luto / лут, лута, луто, лути - lut, luta, luto, luti)
salty	солено (soleno / солен, солена, солено, солени - solen, solena, soleno, soleni)
raw	сирово (sirovo / сиров, сирова, сирово, сирови - sirov, sirova, sirovo, sirovi)
boiled	зготвен (zgotven / зготвен, зготвена, зготвено, зготвени - zgotven, zgotvena, zgotveno, zgotveni)
shy	срамежлив (sramežliv / срамежлив, срамежлива, срамежливо, срамежливи - sramežliv, sramežliva, sramežlivo, sramežlivi)
greedy	алчен (alčen / алчен, алчна, алчно, алчни - alčen, alčna, alčno, alčni)
strict	строг (strog / строг, строга, строго, строги - strog, stroga, strogo, strogi)
deaf	глув (gluv / глув, глува, глуво, глуви - gluv, gluva, gluvo, gluvi)

mute	нем (nem / нем, нема, немо, неми - nem, nema, nemo, nemi)
chubby	полничко (polničko / полничок, полничка, полничко, полнички - polničok, polnička, polničko, polnički)
skinny	слабичко (slabičko / слабичок, слабичка, слабичко, слабички - slabičok, slabička, slabičko, slabički)
plump	буцкасто (buckasto / буцкаст, буцкаста, буцкасто, буцкасти - buckast, buckasta, buckasto, buckasti)
slim	слабо (slabo / слаб, слаба, слабо, слаби - slab, slaba, slabo, slabi)
sunny	сончево (sončevo / сончев, сончева, сончево, сончеви - sončev, sončeva, sončevo, sončevi)
rainy	дождливо (doždlivo / дождлив, дождлива, дождливо, дождливи - doždliv, doždliva, doždlivo, doždlivi)
foggy	магливо (maglivo / маглив, маглива, магливо, магливи - magliv, magliva, maglivo, maglivi)
cloudy	облачно (oblačno / облачен, облачна, облачно, облачни - oblačen, oblačna, oblačno, oblačni)
windy	ветровито (vetrovito / ветровит, ветровита, ветровито, ветровити - vetrovit, vetrovita, vetrovito, vetroviti)
panda	(F) панда (panda / панди - pandi)
goat	(F) коза (koza / кози - kozi)
polar bear	(F) поларна мечка (polarna mečka / поларни мечки - polarni mečki)
wolf	(M) волк (volk / волци - volci)
rhino	(M) носорог (nosorog / носорози - nosorozi)
koala	(F) коала (koala / коали - koali)
kangaroo	(M) кенгур (kengur / кенгури - kenguri)
camel	(F) камила (kamila / камили - kamili)
hamster	(M) хрчак (hrčak / хрчаци - hrčaci)
giraffe	(F) жирафа (žirafa / жирафи - žirafi)
squirrel	(F) верверица (ververica / верверици - ververici)
fox	(F) лисица (lisica / лисици - lisici)
leopard	(M) леопард (leopard / леопарди - leopardi)
hippo	(M) нилски коњ (nilski koň / нилски коњи - nilski koňi)
deer	(M) елен (elen / елени - eleni)

bat	(M) **лилјак** (lilĵak / лилјаци - lilĵaci)
raven	(M) **гавран** (gavran / гаврани - gavrani)
stork	(M) **штрк** (štrk / штркови - štrkovi)
swan	(M) **лебед** (lebed / лебеди - lebedi)
seagull	(M) **галеб** (galeb / галеби - galebi)
owl	(M) **був** (buv / бувови - buvovi)
eagle	(M) **орел** (orel / орли - orli)
penguin	(M) **пингвин** (pingvin / пингвини - pingvini)
parrot	(M) **папагал** (papagal / папагали - papagali)
termite	(M) **термит** (termit / термити - termiti)
moth	(M) **молец** (molec / молци - molci)
caterpillar	(F) **гасеница** (gasenica / гасеници - gasenici)
dragonfly	(N) **вилинско коњче** (vilinsko koňče / вилински коњчиња - vilinski koňčiňa)
grasshopper	(M) **скакулец** (skakulec / скакулци - skakulci)
squid	(F) **лигња** (ligňa / лигњи - ligňi)
octopus	(M) **октопод** (oktopod / октоподи - oktopodi)
sea horse	(N) **морско коњче** (morsko koňče / морски коњчиња - morski koňčiňa)
turtle	(F) **желка** (želka / желки - želki)
shell	(F) **школка** (školka / школки - školki)
seal	(F) **фока** (foka / фоки - foki)
jellyfish	(F) **медуза** (meduza / медузи - meduzi)
crab	(F) **краба** (kraba / краби - krabi)
dinosaur	(M) **диносаурус** (dinosaurus / диносауруси - dinosaurusi)
tortoise	(F) **желка** (želka / желки - želki)
crocodile	(M) **крокодил** (krokodil / крокодили - krokodili)

marathon	(M) маратон (maraton)
triathlon	(M) триатлон (triatlon)
table tennis	(M) пинг понг (ping pong)
weightlifting	(N) кревање тегови (krevańe tegovi)
boxing	(M) бокс (boks)
badminton	(M) бадминтон (badminton)
figure skating	(N) уметничко лизгање (umetničko lizgańe)
snowboarding	(M) сноубординг (snoubording)
skiing	(N) скијање (skiјańe)
cross-country skiing	(N) крос-кантри скијање (kros-kantri skiјańe)
ice hockey	(M) хокеј на мраз (hokeј na mraz)
volleyball	(F) одбојка (odboјka)
handball	(M) ракомет (rakomet)
beach volleyball	(F) одбојка на плажа (odboјka na plaža)
rugby	(N) рагби (ragbi)
cricket	(M) крикет (kriket)
baseball	(M) бејзбол (beјzbol)
American football	(M) амерички фудбал (amerikanski fudbal)
water polo	(N) ватерполо (vaterpolo)
diving (into the water)	(M) скокови во вода (skokovi vo voda)
surfing	(N) сурфање (surfańe)
sailing	(N) едрење (edreńe)
rowing	(N) веслање (veslańe)
car racing	(F) автомобилски трки (avtomobilski trki)
rally racing	(F) рели трка (reli trka)

motorcycle racing	(F) мотоциклистичка трка (motociklistička trka)
yoga	(F) јога (joga)
dancing	(N) танцување (tancuvaňe)
mountaineering	(M) алпинизам (alpinizam)
parachuting	(N) падобранство (padobranstvo)
skateboarding	(M) скејтбординг (skejtbording)
chess	(M) шах (šah)
poker	(M) покер (poker)
climbing	(N) качување (kačuvaňe)
bowling	(N) куглање (kuglaňe)
billiards	(M) билијард (bilijard)
ballet	(M) балет (balet)
warm-up	(N) загревање (zagrevaňe / загревања - zagrevaňa)
stretching	(N) истегнување (istegnuvaňe / истегнувања - istegnuvaňa)
sit-ups	(F) стомачни вежби (stomačni vežbi / стомачни вежби - stomačni vežbi)
push-up	(M) склек (sklek / склекови - sklekovi)
sauna	(F) сауна (sauna / сауни - sauni)
exercise bike	(M) велосипед за вежбање (velosiped za vežbaňe / велосипеди за вежбање - velosipedi za vežbaňe)
treadmill	(F) лента за трчање (lenta za trčaňe / ленти за трчање - lenti za trčaňe)
1001	илјада и еден (iljada i eden)
1012	илјада и дванаесет (iljada i dvanaeset)
1234	илјада двесте триесет и четири (iljada dveste trieset i četiri)
2000	две илјади (dve iljadi)
2002	две илјади и два (dve iljadi i dva)
2023	две илјади дваесет и три (dve iljadi dvaeset i tri)

2345	две илјади триста четириесет и пет (dve iljadi trista četirieset i pet)
3000	три илјади (tri iljadi)
3003	три илјади и три (tri iljadi i tri)
4000	четири илјади (četiri iljadi)
4045	четири илјади четириесет и пет (četiri iljadi četirieset i pet)
5000	пет илјади (pet iljadi)
5678	пет илјади шестотини седумдесет и осум (pet iljadi šestotini sedumdeset i osum)
6000	шест илјади (šest iljadi)
7000	седум илјади (sedum iljadi)
7890	седум илјади осумстотини и деведесет (sedum iljadi osumstotini i devedeset)
8000	осум илјади (osum iljadi)
8901	осум илјади деветстотини и еден (osum iljadi devetstotini i eden)
9000	девет илјади (devet iljadi)
9090	девет илјади и деведесет (devet iljadi i devedeset)
10.001	десет илјади и еден (deset iljadi i eden)
20.020	дваесет илјади и дваесет (dvaeset iljadi i dvaeset)
30.300	триесет илјади и триста (trieset iljadi i trista)
44.000	четириесет и четири илјади (četirieset i četiri iljadi)
10.000.000	десет милиони (deset milioni)
100.000.000	сто милиони (sto milioni)
1.000.000.000	милијарда (milijarda)
10.000.000.000	десет милијарди (deset milijardi)
100.000.000.000	сто милијарди (sto milijardi)
1.000.000.000.000	билион (bilion)
to gamble	да се коцка (da se kocka / прокоцка, се коцка - prokocka, se kocka)

to gain weight	да се здебели (da se zdebeli / се здебели, се дебелее - se zdebeli, se debelee)
to lose weight	да ослаби (da oslabi / ослаби, ослабува - oslabi, oslabuva)
to vomit	да повраќа (da povraḱa / поврати, повраќа - povrati, povraḱa)
to shout	да вика (da vika / извика, вика - izvika, vika)
to stare	да зјапа (da zjapa / зјапне, зјапа - zjapne, zjapa)
to faint	да се онесвести (da se onesvesti / се онесвести, се онесвестува - se onesvesti, se onesvestuva)
to swallow	да голта (da golta / голтне, голта - goltne, golta)
to shiver	да се тресе (da se trese / се стресе, се тресе - se strese, se trese)
to give a massage	да масира (da masira / измасира, масира - izmasira, masira)
to climb	да се искачува (da se iskačuva / се искачи, се искачува - se iskači, se iskačuva)
to quote	да цитира (da citira / -, цитира - -, citira)
to print	да печати (da pečati / отпечати, печати - otpečati, pečati)
to scan	да скенира (da skenira / искенира, скенира - iskenira, skenira)
to calculate	да пресмета (da presmeta / пресмета, пресметува - presmeta, presmetuva)
to earn	да заработи (da zaraboti / заработи, заработува - zaraboti, zarabotuva)
to measure	да мери (da meri / измери, мери - izmeri, meri)
to vacuum	да усисува (da usisuva / усиса, усисува - usisa, usisuva)
to dry	да суши (da suši / исуши, суши - isuši, suši)
to boil	да вари (da vari / свари, вари - svari, vari)
to fry	да пржи (da prži / испржи, пржи - isprži, prži)
elevator	(M) лифт (lift / лифтови - liftovi)
balcony	(M) балкон (balkon / балкони - balkoni)
floor	(M) кат (kat / катови - katovi)
attic	(N) поткровје (potkrovje / поткровја - potkrovja)
front door	(F) влезна врата (vlezna vrata / влезни врати - vlezni vrati)

corridor	(M) **ходник** (hodnik / ходници - hodnici)
second basement floor	(M) **подрум на втор кат** (podrum na vtor kat / подруми на втор кат - podrumi na vtor kat)
first basement floor	(M) **подрум на прв кат** (podrum na prv kat / подруми на прв кат - podrumi na prv kat)
ground floor	(N) **приземје** (prizemje / приземја - prizemja)
first floor	(M) **прв кат** (prv kat / први катови - prvi katovi)
fifth floor	(M) **петти кат** (petti kat / петти катови - petti katovi)
chimney	(M) **оџак** (odžak / оџаци - odžaci)
fan	(M) **вентилатор** (ventilator / вентилатори - ventilatori)
air conditioner	(M) **клима уред** (klima ured / клима уреди - klima uredi)
coffee machine	(F) **машина за кафе** (mašina za kafe / машини за кафе - mašini za kafe)
toaster	(M) **тостер** (toster / тостери - tosteri)
vacuum cleaner	(F) **правосмукалка** (pravosmukalka / правосмукалки - pravosmukalki)
hairdryer	(M) **фен** (fen / фенови - fenovi)
kettle	(M) **чајник** (čajnik / чајници - čajnici)
dishwasher	(F) **машина за перење садови** (mašina za pereňe sadovi / машини за перење садови - mašini za pereňe sadovi)
cooker	(M) **шпорет** (šporet / шпорети - šporeti)
oven	(F) **рерна** (rerna / рерни - rerni)
microwave	(F) **микробранова печка** (mikrobranova pečka / микробранови печки - mikrobranovi pečki)
fridge	(M) **фрижидер** (frižider / фрижидери - frižideri)
washing machine	(F) **машина за перење** (mašina za pereňe / машини за перење - mašini za pereňe)
heating	(N) **греење** (greeňe / греења - greeňa)
remote control	(M) **далечински управувач** (dalečinski upravuvač / далечински управувачи - dalečinski upravuvači)
sponge	(M) **сунѓер** (sunǵer / сунѓери - sunǵeri)
wooden spoon	(F) **дрвена лажица** (drvena lažica / дрвени лажици - drveni lažici)
chopstick	(N) **стапче за јадење** (stapče za jadeňe / стапчиња за јадење - stapčiňa za jadeňe)

cutlery	(M) **прибор за јадење** (pribor za jađeňe / прибори за јадење - pribori za jađeňe)
spoon	(F) **лажица** (lažica / лажици - lažici)
fork	(F) **вилушка** (viluška / вилушки - viluški)
ladle	(F) **рачка** (račka / рачки - rački)
pot	(N) **тенџере** (tenđere / тенџериња - tenđeriňa)
pan	(F) **тава** (tava / тави - tavi)
light bulb	(F) **сијалица** (sijalica / сијалици - sijalici)
alarm clock	(M) **будилник** (budilnik / будилници - budilnici)
safe (for money)	(M) **сеф** (sef / сефови - sefovi)
bookshelf	(F) **полица за книги** (polica za knigi / полици за книги - polici za knigi)
curtain	(F) **завеса** (zavesa / завеси - zavesi)
mattress	(M) **душек** (dušek / душеци - dušeci)
pillow	(F) **перница** (pernica / перници - pernici)
blanket	(N) **ќебе** (kebe / ќебиња - kebiňa)
shelf	(F) **полица** (polica / полици - polici)
drawer	(F) **фиока** (fioka / фиоки - fioki)
wardrobe	(F) **гардероба** (garderoba / гардероби - garderobi)
bucket	(F) **кофа** (kofa / кофи - kofi)
broom	(F) **метла** (metla / метли - metli)
washing powder	(M) **прашок за перење** (prašok za pereňe / прашоци за перење - prašoci za pereňe)
scale	(F) **вага** (vaga / ваги - vagi)
laundry basket	(F) **корпа за алишта за перење** (korpa za ališta za pereňe / корпи за алишта за перење - korpi za ališta za pereňe)
bathtub	(F) **када** (kada / кади - kadi)
bath towel	(M) **пешкир** (peškir / пешкири - peškiri)
soap	(M) **сапун** (sapun / сапуни - sapuni)

toilet paper	(F) **тоалетна хартија** (toaletna hartiǰa / тоалетни хартии - toaletni hartii)
towel	(M) **пешкир** (peškir / пешкири - peškiri)
basin	(M) **мијалник** (miǰalnik / мијалници - miǰalnici)
stool	(M) **шанкерски стол** (šankerski stol / шанкерски столови - šankerski stolovi)
light switch	(M) **прекинувач за светло** (prekinuvač za svetlo / прекинувачи за светло - prekinuvači za svetlo)
calendar	(M) **календар** (kalendar / календари - kalendari)
power outlet	(M) **штекер** (šteker / штекери - štekeri)
carpet	(M) **тепих** (tepih / теписи - tepisi)
saw	(F) **пила** (pila / пили - pili)
axe	(F) **секира** (sekira / секири - sekiri)
ladder	(F) **скала** (skala / скали - skali)
hose	(N) **црево** (crevo / црева - creva)
shovel	(F) **лопата** (lopata / лопати - lopati)
shed	(F) **барака** (baraka / бараки - baraki)
pond	(N) **езерце** (ezerce / езерца - ezerca)
mailbox (for letters)	(N) **поштенско сандаче** (poštensko sandače / поштенски сандачиња - poštenski sandačiǹa)
fence	(F) **ограда** (ograda / огради - ogradi)
deck chair	(F) **лежалка** (ležalka / лежалки - ležalki)
ice cream	(M) **сладолед** (sladoled / сладоледи - sladoledi)
cream (food)	(M) **кајмак** (kaǰmak / кајмаци - kaǰmaci)
butter	(M) **путер** (puter / путери - puteri)
yoghurt	(M) **јогурт** (ǰogurt / јогурти - ǰogurti)
fishbone	(F) **риба коска** (riba koska / риби коски - ribi koski)
tuna	(F) **туна** (tuna / туни - tuni)
salmon	(M) **лосос** (losos / лососи - lososi)

lean meat	(N) посно месо (posno meso / посни меса - posni mesa)
fat meat	(N) масно месо (masno meso / масни меса - masni mesa)
ham	(F) шунка (šunka / шунки - šunki)
salami	(F) салама (salama / салами - salami)
bacon	(F) сланина (slanina / сланини - slanini)
steak	(M) бифтек (biftek / бифтеци - bifteci)
sausage	(F) кобасица (kobasica / кобасици - kobasici)
turkey	(N) мисиркино (misirkino / мисиркини - misirkini)
chicken (meat)	(N) пилешко (pileško / пилешки - pileški)
beef	(N) говедско (govedsko / говедски - govedski)
pork	(N) свинско (svinsko / свински - svinski)
lamb	(N) јагнешко (jagneško / јагнешки - jagneški)
pumpkin	(F) тиква (tikva / тикви - tikvi)
mushroom	(F) печурка (pečurka / печурки - pečurki)
truffle	(M) тартуфи (tartufi / тартуфи - tartufi)
garlic	(M) лук (luk / лук - luk)
leek	(M) праз (praz / праз - praz)
ginger	(M) ѓумбир (ǵumbir / ѓумбири - ǵumbiri)
aubergine	(M) модар патлиџан (modar patlidan / модри патлиџани - modri patlidani)
sweet potato	(M) сладок компир (sladok kompir / слатки компири - slatki kompiri)
carrot	(M) морков (morkov / моркови - morkovi)
cucumber	(F) краставица (krastavica / краставици - krastavici)
chili	(N) чили (čili / чили - čili)
pepper (vegetable)	(F) пиперка (piperka / пиперки - piperki)
onion	(M) кромид (kromid / кромиди - kromidi)

potato	(M) компир (kompir / компири - kompiri)
cauliflower	(M) карфиол (karfiol / карфиоли - karfioli)
cabbage	(F) зелка (zelka / зелки - zelki)
broccoli	(F) брокула (brokula / брокули - brokuli)
lettuce	(F) марула (marula / марули - maruli)
spinach	(M) спанаќ (spanaḱ / спанаќ - spanaḱ)
bamboo (food)	(M) бамбус (bambus / бамбуси - bambusi)
corn	(F) пченка (pčenka / пченки - pčenki)
celery	(M) целер (celer / целер - celer)
pea	(M) грашок (grašok / грашок - grašok)
bean	(M) грав (grav / грав - grav)
pear	(F) круша (kruša / круши - kruši)
apple	(N) јаболко (јabolko / јаболка - јabolka)
peel	(F) лушпа (lušpa / лушпи - lušpi)
pit	(F) семка (semka / семки - semki)
olive	(F) маслинка (maslinka / маслинки - maslinki)
date (food)	(F) урма (urma / урми - urmi)
fig	(F) смоква (smokva / смокви - smokvi)
coconut	(M) кокос (kokos / кокоси - kokosi)
almond	(M) бадем (badem / бадеми - bademi)
hazelnut	(M) лешник (lešnik / лешници - lešnici)
peanut	(F) кикирики (kikiriki / кикирики - kikiriki)
banana	(F) банана (banana / банани - banani)
mango	(N) манго (mango / манга - manga)
kiwi	(N) киви (kivi / киви - kivi)

avocado	(N) **авокадо** (avokado / авокада - avokada)
pineapple	(M) **ананас** (ananas / ананаси - ananasi)
water melon	(F) **лубеница** (lubenica / лубеници - lubenici)
grape	(M) **грозд** (grozd / гроздови - grozdovi)
sugar melon	(F) **диња** (diña / дињи - diñi)
raspberry	(F) **малина** (malina / малини - malini)
blueberry	(F) **боровинка** (borovinka / боровинки - borovinki)
strawberry	(F) **јагода** (ǰagoda / јагоди - ǰagodi)
cherry	(F) **цреша** (creša / цреши - creši)
plum	(F) **слива** (sliva / сливи - slivi)
apricot	(F) **кајсија** (kaǰsiǰa / кајсии - kaǰsii)
peach	(F) **праска** (praska / праски - praski)
lemon	(M) **лимон** (limon / лимони - limoni)
grapefruit	(M) **грејпфрут** (greǰpfrut / грејпфрути - greǰpfruti)
orange (food)	(M) **портокал** (portokal / портокали - portokali)
tomato	(M) **домат** (domat / домати - domati)
mint	(N) **нане** (nane / нане - nane)
lemongrass	(F) **лимонова трева** (limonova treva / лимонови треви - limonovi trevi)
cinnamon	(M) **цимет** (cimet / цимет - cimet)
vanilla	(F) **ванила** (vanila / ванили - vanili)
salt	(F) **сол** (sol / соли - soli)
pepper (spice)	(M) **бибер** (biber / бибери - biberi)
curry	(N) **кари** (kari / кари - kari)
tobacco	(M) **тутун** (tutun / тутуни - tutuni)
tofu	(N) **тофу** (tofu / тофу - tofu)

vinegar	(M) оцет (ocet / оцети - oceti)
noodle	(F) тестенина (testenina / тестенини - testenini)
soy milk	(N) млеко од соја (mleko od soǰa / млека од соја - mleka od soǰa)
flour	(N) брашно (brašno / брашно - brašno)
rice	(M) ориз (oriz / ориз - oriz)
oat	(M) овес (oves / овес - oves)
wheat	(F) пченица (pčenica / пченица - pčenica)
soy	(F) соја (soǰa / соја - soǰa)
nut	(M) орев (orev / ореви - orevi)
scrambled eggs	(F) кајгана (kaǰgana / кајгани - kaǰgani)
porridge	(F) каша (kaša / каши - kaši)
cereal	(F) житарки (žitarki / житарки - žitarki)
honey	(M) мед (med / меден - meden)
jam	(M) џем (đem / џемови - đemovi)
chewing gum	(F) гума за џвакање (guma za đvakaňe / гуми за џвакање - gumi za đvakaňe)
apple pie	(F) пита од јаболка (pita od ǰabolka / пити од јаболка - piti od ǰabolka)
waffle	(F) вафла (vafla / вафли - vafli)
pancake	(F) палачинка (palačinka / палачинки - palačinki)
cookie	(N) колаче (kolače / колачиња - kolačiňa)
pudding	(M) пудинг (puding / пудинзи - pudinzi)
muffin	(M) мафин (mafin / мафини - mafini)
doughnut	(F) крофна (krofna / крофни - krofni)
energy drink	(M) енергетски пијалок (energetski piǰalok / енергетски пијалоци - energetski piǰaloci)
orange juice	(M) сок од портокал (sok od portokal / сокови од портокал - sokovi od portokal)
apple juice	(M) сок од јаболко (sok od ǰabolko / сокови од јаболко - sokovi od ǰabolko)

milkshake	(M) милкшејк (milkšejk / милкшејкови - milkšejkovi)
coke	(F) кока кола (koka kola / кока коли - koka koli)
lemonade	(F) лимонада (limonada / лимонади - limonadi)
hot chocolate	(N) топло чоколадо (toplo čokolado / топли чоколада - topli čokolada)
milk tea	(M) чај со млеко (čaj so mleko / чаеви со млеко - čaevi so mleko)
green tea	(M) зелен чај (zelen čaj / зелени чаеви - zeleni čaevi)
black tea	(M) црн чај (crn čaj / црни чаеви - crni čaevi)
tap water	(F) вода од чешма (voda od češma / води од чешма - vodi od češma)
cocktail	(M) коктел (koktel / коктели - kokteli)
champagne	(M) шампањ (šampaň / шампањи - šampaňi)
rum	(M) рум (rum / румови - rumovi)
whiskey	(N) виски (viski / виски - viski)
vodka	(F) вотка (votka / вотки - votki)
buffet	(F) шведска маса (švedska masa / шведски маси - švedski masi)
tip	(M) бакшиш (bakšiš / бакшиши - bakšiši)
menu	(N) мени (meni / мени - meni)
seafood	(F) морска храна (morska hrana / морска храна - morska hrana)
snack	(F) ужина (užina / ужини - užini)
side dish	(M) прилог (prilog / прилози - prilozi)
spaghetti	(F) шпагети (špageti / шпагети - špageti)
roast chicken	(N) печено пиле (pečeno pile / печени пилиња - pečeni piliňa)
potato salad	(F) компир салата (kompir salata / компир салати - kompir salati)
mustard	(M) сенф (senf / сенфови - senfovi)
sushi	(N) суши (suši / суши - suši)
popcorn	(F) пуканки (pukanki / пуканки - pukanki)

nachos	(M) начос (načos / начос - načos)
chips	(M) чипс (čips / чипсови - čipsovi)
French fries	(M) помфрит (pomfrit / помфрит - pomfrit)
chicken wings	(N) пилешки крилца (pileški krilca / пилешки крилца - pileški krilca)
mayonnaise	(M) мајонез (majonez / мајонези - majonezi)
tomato sauce	(M) кечап (kečap / кечапи - kečapi)
sandwich	(M) сендвич (sendvič / сендвичи - sendviči)
hot dog	(M) хот дог (hot dog / хот дог - hot dog)
burger	(M) бургер (burger / бургери - burgeri)
booking	(F) резервација (rezervacija / резервации - rezervacii)
hostel	(M) хостел (hostel / хостели - hosteli)
visa	(F) виза (viza / визи - vizi)
passport	(M) пасош (pasoš / пасоши - pasoši)
diary	(M) дневник (dnevnik / дневници - dnevnici)
postcard	(F) разгледница (razglednica / разгледници - razglednici)
backpack	(M) ранец (ranec / ранци - ranci)
campfire	(M) логорски оган (logorski ogan / логорски огнови - logorski ognovi)
sleeping bag	(F) вреќа за спиење (vreka za spieňe / вреќи за спиење - vreki za spieňe)
tent	(M) шатор (šator / шатори - šatori)
camping	(N) кампување (kampuvaňe / кампувања - kampuvaňa)
membership	(N) членство (členstvo / членства - členstva)
reservation	(F) резервација (rezervacija / резервации - rezervacii)
dorm room	(F) студентска соба (studentska soba / студентски соби - studentski sobi)
double room	(F) двокреветна соба (dvokrevetna soba / двокреветни соби - dvokrevetni sobi)
single room	(F) еднокреветна соба (ednokrevetna soba / еднокреветни соби - ednokrevetni sobi)

luggage	(M) багаж (bagaž / багажи - bagaži)
lobby	(N) фоаје (foaǰe / фоајеа - foaǰea)
decade	(F) декада (dekada / декади - dekadi)
century	(M) век (vek / векови - vekovi)
millennium	(M) милениум (milenium / милениуми - mileniumi)
Thanksgiving	(M) Ден на благодарноста (Den na blagodarnosta / Денови на благодарноста - Denovi na blagodarnosta)
Halloween	(F) Ноќ на вештерките (Nok na vešterkite / Ноќи на вештерките - Noki na vešterkite)
Ramadan	(M) Рамазан (Ramazan / Рамазани - Ramazani)
grandchild	(N) внуче (vnuče / внучиња - vnučiňa)
siblings	(M) браќа и сестри (braḱa i sestri / браќа и сестри - braḱa i sestri)
mother-in-law	(F) свекрва (svekrva / свекрви - svekrvi)
father-in-law	(M) свекор (svekor / свекори - svekori)
granddaughter	(F) внука (vnuka / внуки - vnuki)
grandson	(M) внук (vnuk / внуци - vnuci)
son-in-law	(M) зет (zet / зетови - zetovi)
daughter-in-law	(F) снаа (snaa / снаи - snai)
nephew	(M) внук (vnuk / внуци - vnuci)
niece	(F) внука (vnuka / внуки - vnuki)
cousin (female)	(F) братучетка (bratučetka / братучетки - bratučetki)
cousin (male)	(M) братучед (bratučed / братучеди - bratučedi)
cemetery	(M) гробишта (grobišta / гробишта - grobišta)
gender	(M) пол (pol / полови - polovi)
urn	(F) урна (urna / урни - urni)
orphan	(M) сирак (sirak / сираци - siraci)
corpse	(M) мртовец (mrtovec / мртовци - mrtovci)

coffin	(M) ковчег (kovčeg / ковчези - kovčezi)
retirement	(N) пензионирање (penzioniraňe / пензионирања - penzioniraňa)
funeral	(M) погреб (pogreb / погреби - pogrebi)
honeymoon	(M) меден месец (meden mesec / медени месеци - medeni meseci)
wedding ring	(M) венчален прстен (venčalen prsten / венчални прстени - venčalni prsteni)
lovesickness	(F) љубовни маки (Îubovni maki / љубовни маки - Îubovni maki)
vocational training	(N) стручно образование (stručno obrazovanie / стручни образованија - stručni obrazovaniĵa)
high school	(N) средно училиште (sredno učilište / средни училишта - sredni učilišta)
junior school	(N) основно училиште (osnovno učilište / основни училишта - osnovni učilišta)
twins	(M) близнаци (bliznaci / близнаци - bliznaci)
primary school	(N) основно училиште (osnovno učilište / основни училишта - osnovni učilišta)
kindergarten	(F) градинка (gradinka / градинки - gradinki)
birth	(N) раѓање (raǵaňe / раѓања - raǵaňa)
birth certificate	(M) извод на родени (izvod na rodeni / изводи на родени - izvodi na rodeni)
hand brake	(F) рачна сопирачка (račna sopiračka / рачни сопирачки - račni sopirački)
battery	(F) батерија (bateriĵa / батерии - baterii)
motor	(M) мотор (motor / мотори - motori)
windscreen wiper	(M) брисач (brisač / брисачи - brisači)
GPS	(M) GPS (GPS / GPS - GPS)
airbag	(N) воздушно перниче (vozdušno perniče / воздушни перничиња - vozdušni perničiňa)
horn	(F) свирка (svirka / свирки - svirki)
clutch	(N) квачило (kvačilo / квачила - kvačila)
brake	(F) кочница (kočnica / кочници - kočnici)
throttle	(M) гас (gas / гасови - gasovi)
steering wheel	(M) волан (volan / волани - volani)

petrol	(M) бензин (benzin / бензини - benzini)
diesel	(M) дизел (dizel / дизели - dizeli)
seatbelt	(M) појас (pojas / појаси - pojasi)
bonnet	(F) хауба (hauba / хауби - haubi)
tyre	(F) гума (guma / гуми - gumi)
rear trunk	(M) заден багажник (zaden bagažnik / задни багажници - zadni bagažnici)
railtrack	(F) железничка пруга (železnička pruga / железнички пруги - železnički prugi)
ticket vending machine	(M) автомат за билети (avtomat za bileti / автомати за билети - avtomati za bileti)
ticket office	(F) билетара (biletara / билетари - biletari)
subway	(N) метро (metro / метроа - metroa)
high-speed train	(M) брз воз (brz voz / брзи возови - brzi vozovi)
locomotive	(F) локомотива (lokomotiva / локомотиви - lokomotivi)
platform	(M) перон (peron / перони - peroni)
tram	(M) трамвај (tramvaj / трамваи - tramvai)
school bus	(M) училишен автобус (učilišen avtobus / училишни автобуси - učilišni avtobusi)
minibus	(M) минибус (minibus / минибуси - minibusi)
fare	(M) билет (bilet / билети - bileti)
timetable	(M) возен ред (vozen red / возни редови - vozni redovi)
airport	(M) аеродром (aerodrom / аеродроми - aerodromi)
departure	(N) заминување (zaminuvaňe / заминувања - zaminuvaňa)
arrival	(N) пристигнување (pristignuvaňe / пристигнувања - pristignuvaňa)
customs	(F) царина (carina / царини - carini)
airline	(F) авионска линија (avionska linija / авионски линии - avionski linii)
helicopter	(M) хеликоптер (helikopter / хеликоптери - helikopteri)
check-in desk	(M) шалтер за чекирање (šalter za čekiraňe / шалтери за чекирање - šalteri za čekiraňe)

1451 - 1475

English	Macedonian
carry-on luggage	(M) рачен багаж (račen bagaž / рачен багаж - račen bagaž)
first class	(F) прва класа (prva klasa / први класи - prvi klasi)
economy class	(F) економска класа (ekonomska klasa / економски класи - ekonomski klasi)
business class	(F) бизнис класа (biznis klasa / бизнис класи - biznis klasi)
emergency exit (on plane)	(M) итен излез (iten izlez / итни излези - itni izlezi)
aisle	(M) простор (prostor / простори - prostori)
window (in plane)	(M) прозор (prozor / прозори - prozori)
row	(M) ред (red / редови - redovi)
wing	(N) крило (krilo / крила - krila)
engine	(M) млазен погон (mlazen pogon / млазни погони - mlazni pogoni)
cockpit	(F) пилотска кабина (pilotska kabina / пилотски кабини - pilotski kabini)
life jacket	(M) елек за спасување (elek za spasuvaňe / елеци за спасување - eleci za spasuvaňe)
container	(M) контејнер (kontejner / контејнери - kontejneri)
submarine	(F) подморница (podmornica / подморници - podmornici)
cruise ship	(M) крузер (kruzer / крузери - kruzeri)
container ship	(M) товарен брод (tovaren brod / товарни бродови - tovarni brodovi)
yacht	(F) јахта (jahta / јахти - jahti)
ferry	(M) траект (traekt / траекти - traekti)
harbour	(N) пристаниште (pristanište / пристаништа - pristaništa)
lifeboat	(M) брод за спасување (brod za spasuvaňe / бродови за спасување - brodovi za spasuvaňe)
radar	(M) радар (radar / радари - radari)
anchor	(N) сидро (sidro / сидра - sidra)
life buoy	(F) спасувачка пловка (spasuvačka plovka / спасувачки пловки - spasuvački plovki)
street light	(N) улично осветлување (ulično osvetluvaňe / улични осветлувања - ulični osvetluvaňa)
pavement	(M) тротоар (trotoar / тротоари - trotoari)

petrol station	(F) **бензинска станица** (benzinska stanica / бензиски станици - benziski stanici)
construction site	(N) **градилиште** (gradilište / градилишта - gradilišta)
speed limit	(F) **дозволена брзина** (dozvolena brzina / дозволени брзини - dozvoleni brzini)
pedestrian crossing	(M) **пешачки премин** (pešački premin / пешачки премини - pešački premini)
one-way street	(F) **еднонасочна улица** (ednonasočna ulica / еднонасочни улици - ednonasočni ulici)
toll	(F) **патарина** (patarina / патарини - patarini)
intersection	(F) **крстосница** (krstosnica / крстосници - krstosnici)
traffic jam	(M) **сообраќаен метеж** (soobraḱaen metež / сообраќајни метежи - soobraḱajni meteži)
motorway	(M) **автопат** (avtopat / автопатишта - avtopatišta)
tank	(M) **тенк** (tenk / тенкови - tenkovi)
road roller	(M) **валјак** (valjak / валјаци - valjaci)
excavator	(M) **багер** (bager / багери - bageri)
tractor	(M) **трактор** (traktor / трактори - traktori)
air pump	(F) **пумпа** (pumpa / пумпи - pumpi)
chain	(M) **ланец** (lanec / ланци - lanci)
jack	(F) **дигалка** (digalka / дигалки - digalki)
trailer	(F) **приколка** (prikolka / приколки - prikolki)
motor scooter	(M) **скутер** (skuter / скутери - skuteri)
cable car	(F) **жичарница** (žičarnica / жичарници - žičarnici)
guitar	(F) **гитара** (gitara / гитари - gitari)
drums	(M) **тапани** (tapani / тапани - tapani)
keyboard (music)	(F) **клавијатура** (klavijatura / клавијатури - klavijaturi)
trumpet	(F) **труба** (truba / труби - trubi)
piano	(N) **пијано** (pijano / пијана - pijana)
saxophone	(M) **саксофон** (saksofon / саксофони - saksofoni)

violin	(F) виолина (violina / виолини - violini)
concert	(M) концерт (koncert / концерти - koncerti)
note (music)	(F) нота (nota / ноти - noti)
opera	(F) опера (opera / опери - operi)
orchestra	(M) оркестар (orkestar / оркестри - orkestri)
rap	(M) рап (rap / рап - rap)
classical music	(F) класична музика (klasična muzika / класична музика - klasična muzika)
folk music	(F) фолк музика (folk muzika / фолк музика - folk muzika)
rock (music)	(M) рок (rok / рок - rok)
pop	(M) поп (pop / поп - pop)
jazz	(M) џез (džez / џез - džez)
theatre	(M) театар (teatar / театри - teatri)
brush (to paint)	(F) четка (četka / четки - četki)
samba	(F) самба (samba / самби - sambi)
rock 'n' roll	(M) рокенрол (rokenrol / рокенрол - rokenrol)
Viennese waltz	(M) виенски валцер (vienski valcer / виенски валцери - vienski valceri)
tango	(N) танго (tango / танго - tango)
salsa	(F) салса (salsa / салси - salsi)
alphabet	(F) азбука (azbuka / азбуки - azbuki)
novel	(M) роман (roman / романи - romani)
text	(M) текст (tekst / текстови - tekstovi)
heading	(M) наслов (naslov / наслови - naslovi)
character	(M) знак (znak / знаци - znaci)
letter (like a, b, c)	(F) буква (bukva / букви - bukvi)
content	(F) содржина (sodržina / содржини - sodržini)

photo album	(M) фото албум (foto album / фото албуми - foto albumi)
comic book	(M) стрип (strip / стрипови - stripovi)
sports ground	(N) спортско игралиште (sportsko igralište / спортски игралишта - sportski igrališta)
dictionary	(M) речник (rečnik / речници - rečnici)
term	(N) полугодие (polugodie / полугодија - polugodija)
notebook	(F) тетратка (tetratka / тетратки - tetratki)
blackboard	(F) табла (tabla / табли - tabli)
schoolbag	(M) училишен ранец (učilišen ranec / училишни ранци - učilišni ranci)
school uniform	(F) училишна униформа (učilišna uniforma / училишни униформи - učilišni uniformi)
geometry	(F) геометрија (geometrija / геометрија - geometrija)
politics	(F) политика (politika / политика - politika)
philosophy	(F) филозофија (filozofija / филозофија - filozofija)
economics	(F) економија (ekonomija / економија - ekonomija)
physical education	(N) физичко воспитување (fizičko vospituvańe / физичко воспитување - fizičko vospituvańe)
biology	(F) биологија (biologija / биологија - biologija)
mathematics	(F) математика (matematika / математика - matematika)
geography	(F) географија (geografija / географија - geografija)
literature	(F) литература (literatura / литература - literatura)
Arabic	(M) арапски (arapski / арапски - arapski)
German	(M) германски (germanski / германски - germanski)
Japanese	(M) јапонски (japonski / јапонски - japonski)
Mandarin	(M) мандарински (mandarinski / мандарински - mandarinski)
Spanish	(M) шпански (španski / шпански - španski)
chemistry	(F) хемија (hemija / хемија - hemija)
physics	(F) физика (fizika / физика - fizika)

ruler	(M) линијар (linijar / линијари - linijari)
rubber	(F) гума за бришење (guma za brišeńe / гуми за бришење - gumi za brišeńe)
scissors	(F) ножици (nožici / ножици - nožici)
adhesive tape	(M) селотејп (selotejp / селотејпи - selotejpi)
glue	(M) лепак (lepak / лепаци - lepaci)
ball pen	(N) хемиско пенкало (hemisko penkalo / хемиски пенкала - hemiski penkala)
paperclip	(F) спајалица (spajalica / спајалици - spajalici)
100%	сто проценти (sto procenti)
0%	нула проценти (nula procenti)
cubic meter	(M) кубен метар (kuben metar / кубни метри - kubni metri)
square meter	(M) квадратен метар (kvadraten metar / квадратни метри - kvadratni metri)
mile	(F) милја (milja / милји - milji)
meter	(M) метар (metar / метри - metri)
decimeter	(M) дециметар (decimetar / дециметри - decimetri)
centimeter	(M) сантиметар (santimetar / сантиметри - santimetri)
millimeter	(M) милиметар (milimetar / милиметри - milimetri)
addition	(N) собирање (sobirańe / собирања - sobirańa)
subtraction	(N) одземање (odzemańe / одземања - odzemańa)
multiplication	(N) множење (množeńe / множења - množeńa)
division	(N) делење (deleńe / делења - deleńa)
fraction	(F) дропка (dropka / дропки - dropki)
sphere	(F) сфера (sfera / сфери - sferi)
width	(F) ширина (širina / ширини - širini)
height	(F) висина (visina / висини - visini)
volume	(M) волумен (volumen / волумени - volumeni)

curve	(F) **крива** (kriva / криви - krivi)
angle	(M) **агол** (agol / агли - agli)
straight line	(F) **права линија** (prava linija / прави линии - pravi linii)
pyramid	(F) **пирамида** (piramida / пирамиди - piramidi)
cube	(F) **коцка** (kocka / коцки - kocki)
rectangle	(M) **правоаголник** (pravoagolnik / правоаголници - pravoagolnici)
triangle	(M) **триаголник** (triagolnik / триаголници - triagolnici)
radius	(M) **радиус** (radius / радиуси - radiusi)
watt	(M) **ват** (vat / вати - vati)
ampere	(M) **ампер** (amper / ампери - amperi)
volt	(M) **волт** (volt / волти - volti)
force	(F) **сила** (sila / сили - sili)
liter	(M) **литар** (litar / литри - litri)
milliliter	(M) **милилитар** (mililitar / милилитри - mililitri)
ton	(M) **тон** (ton / тони - toni)
kilogram	(M) **килограм** (kilogram / килограми - kilogrami)
gram	(M) **грам** (gram / грамови - gramovi)
magnet	(M) **магнет** (magnet / магнети - magneti)
microscope	(M) **микроскоп** (mikroskop / микроскопи - mikroskopi)
funnel	(F) **инка** (inka / инки - inki)
laboratory	(F) **лабораторија** (laboratorija / лаборатории - laboratorii)
canteen	(F) **кантина** (kantina / кантини - kantini)
lecture	(N) **предавање** (predavaňe / предавања - predavaňa)
scholarship	(F) **стипендија** (stipendija / стипендии - stipendii)
diploma	(F) **диплома** (diploma / дипломи - diplomi)

lecture theatre	(M) амфитеатар (amfiteatar / амфитеатри - amfiteatri)
3.4	три запирка четири (tri zapirka četiri)
3 to the power of 5	три на петта (tri na petta)
4 / 2	четири поделено на два (četiri podeleno na dva)
1 + 1 = 2	еден плус еден е еднакво на два (eden plus eden e ednakvo na dva)
full stop	(F) точка (točka / точки - točki)
6³	шест на трета (šest na treta)
4²	четири на квадрат (četiri na kvadrat)
contact@pinhok.com	контакт мајмунче пинхок точка ком (kontakt majmunče pinhok točka kom)
&	и (i)
/	(F) коса црта (kosa crta / коси црти - kosi crti)
()	(F) заграда (zagrada / загради - zagradi)
semicolon	(F) точка запирка (točka zapirka / точки запирки - točki zapirki)
comma	(F) запирка (zapirka / запирки - zapirki)
colon	(F) две точки (dve točki / две точки - dve točki)
www.pinhok.com	даблју даблју даблју точка пинхок точка ком (dablju dablju dablju točka pinhok točka kom)
underscore	(N) подвлекување (podvlekuvaňe / подвлекувања - podvlekuvaňa)
hyphen	(F) цртичка (crtička / цртички - crtički)
3 - 2	три минус два (tri minus dva)
apostrophe	(M) апостроф (apostrof / апострофи - apostrofi)
2 x 3	два по три (dva po tri)
1 + 2	еден плус два (eden plus dva)
exclamation mark	(M) извичник (izvičnik / извичници - izvičnici)
question mark	(M) прашалник (prašalnik / прашалници - prašalnici)
space	(M) празен простор (prazen prostor / празни простори - prazni prostori)

soil	(F) почва (počva / почви - počvi)
lava	(F) лава (lava / лава - lava)
coal	(M) јаглен (jaglen / јаглени - jagleni)
sand	(M) песок (pesok / песоци - pesoci)
clay	(F) глина (glina / глини - glini)
rocket	(F) ракета (raketa / ракети - raketi)
satellite	(M) сателит (satelit / сателити - sateliti)
galaxy	(F) галаксија (galaksija / галаксии - galaksii)
asteroid	(M) астероид (asteroid / астероиди - asteroidi)
continent	(M) континент (kontinent / континенти - kontinenti)
equator	(M) екватор (ekvator / екватор - ekvator)
South Pole	(M) Јужен Пол (Južen Pol / Јужен Пол - Južen Pol)
North Pole	(M) Северен Пол (Severen Pol / Северен Пол - Severen Pol)
stream	(M) поток (potok / потоци - potoci)
rainforest	(F) дождовна шума (doždovna šuma / дождовни шуми - doždovni šumi)
cave	(F) пештера (peštera / пештери - pešteri)
waterfall	(M) водопад (vodopad / водопади - vodopadi)
shore	(N) крајбрежје (krajbrežje / крајбрежја - krajbrežja)
glacier	(M) глечер (glečer / глечери - glečeri)
earthquake	(M) земјотрес (zemjotres / земјотреси - zemjotresi)
crater	(M) кратер (krater / кратери - krateri)
volcano	(M) вулкан (vulkan / вулкани - vulkani)
canyon	(M) кањон (kaňon / кањони - kaňoni)
atmosphere	(F) атмосфера (atmosfera / атмосфери - atmosferi)
pole	(M) пол (pol / полови - polovi)

12 °C	дванаесет Целзиусови степени (dvanaeset Celziusovi stepeni)
0 °C	нула Целзиусови степени (nula Celziusovi stepeni)
-2 °C	минус два Целзиусови степени (minus dva Celziusovi stepeni)
Fahrenheit	(M) Фаренхајт (Farenhajt / Фаренхајти - Farenhajti)
centigrade	(M) Целзиусови степени (Celziusovi stepeni / Целзиусови степени - Celziusovi stepeni)
tornado	(N) торнадо (tornado / торнада - tornada)
flood	(F) поплава (poplava / поплави - poplavi)
fog	(F) магла (magla / магли - magli)
rainbow	(N) виножито (vinožito / виножита - vinožita)
thunder	(M) гром (grom / громови - gromovi)
lightning	(F) молња (molňa / молњи - molňi)
thunderstorm	(F) грмотевица (grmotevica / грмотевици - grmotevici)
temperature	(F) температура (temperatura / температури - temperaturi)
typhoon	(M) тајфун (tajfun / тајфуни - tajfuni)
hurricane	(M) ураган (uragan / урагани - uragani)
cloud	(M) облак (oblak / облаци - oblaci)
sunshine	(F) сончева светлина (sončeva svetlina / сончеви светлини - sončevi svetlini)
bamboo (plant)	(M) бамбус (bambus / бамбуси - bambusi)
palm tree	(F) палма (palma / палми - palmi)
branch	(F) гранка (granka / гранки - granki)
leaf	(M) лист (list / листови - listovi)
root	(M) корен (koren / корени - koreni)
trunk	(N) стебло (steblo / стебла - stebla)
cactus	(M) кактус (kaktus / кактуси - kaktusi)
sunflower	(M) сончоглед (sončogled / сончогледи - sončogledi)

seed	(N) **семе** (seme / семиња - semiña)
blossom	(M) **цвет** (cvet / цветови - cvetovi)
stalk	(N) **стебло** (steblo / стебла - stebla)
plastic	(F) **пластика** (plastika / пластики - plastiki)
carbon dioxide	(M) **јаглерод диоксид** (jaglerod dioksid / јаглерод диоксид - jaglerod dioksid)
solid	(F) **цврста материја** (cvrsta materija / цврсти материи - cvrsti materii)
fluid	(F) **течност** (tečnost / течности - tečnosti)
atom	(M) **атом** (atom / атоми - atomi)
iron	(N) **железо** (železo)
oxygen	(M) **кислород** (kislorod)
flip-flops	(F) **апостолки** (apostolki / апостолки - apostolki)
leather shoes	(F) **кожни чевли** (kožni čevli / кожни чевли - kožni čevli)
high heels	(F) **високи штикли** (visoki štikli / високи штикли - visoki štikli)
trainers	(F) **патики** (patiki / патики - patiki)
raincoat	(F) **кабаница** (kabanica / кабаници - kabanici)
jeans	(F) **фармерки** (farmerki / фармерки - farmerki)
skirt	(F) **сукња** (sukña / сукњи - sukñi)
shorts	(M) **шорцеви** (šorcevi / шорцеви - šorcevi)
pantyhose	(F) **хулахопки** (hulahopki / хулахопки - hulahopki)
thong	(F) **танга** (tanga / танги - tangi)
panties	(F) **гаќички** (gaḱički / гаќички - gaḱički)
crown	(F) **круна** (kruna / круни - kruni)
tattoo	(F) **тетоважа** (tetovaža / тетоважи - tetovaži)
sunglasses	(N) **очила за сонце** (očila za sonce / очила за сонце - očila za sonce)
umbrella	(M) **чадор** (čador / чадори - čadori)

earring	(F) **обетка** (obetka / обетки - obetki)
necklace	(M) **ѓердан** (ǵerdan / ѓердани - ǵerdani)
baseball cap	(F) **бејзбол капа** (beǰzbol kapa / бејзбол капи - beǰzbol kapi)
belt	(M) **ремен** (remen / ремени - remeni)
tie	(F) **вратоврска** (vratovrska / вратоврски - vratovrski)
knit cap	(F) **плетена капа** (pletena kapa / плетени капи - pleteni kapi)
scarf	(M) **шал** (šal / шалови - šalovi)
glove	(F) **ракавица** (rakavica / ракавици - rakavici)
swimsuit	(M) **костим за капење** (kostim za kapeńe / костими за капење - kostimi za kapeńe)
bikini	(N) **бикини** (bikini / бикини - bikini)
swim trunks	(F) **гаќи за капење** (gaḱi za kapeńe / гаќи за капење - gaḱi za kapeńe)
swim goggles	(N) **очила за пливање** (očila za plivańe / очила за пливање - očila za plivańe)
barrette	(F) **шнола** (šnola / шноли - šnoli)
brunette	**бринета** (brineta)
blond	**плавуша** (plavuša)
bald head	(N) **ќелавко** (ḱelavko / ќелавковци - ḱelavkovci)
straight (hair)	**права** (prava)
curly	**кадрава** (kadrava)
button	(N) **копче** (kopče / копчиња - kopčińa)
zipper	(M) **патент** (patent / патенти - patenti)
sleeve	(M) **ракав** (rakav / ракави - rakavi)
collar	(F) **крагна** (kragna / крагни - kragni)
polyester	(M) **полиестер** (poliester / полиестери - poliesteri)
silk	(F) **свила** (svila / свили - svili)
cotton	(M) **памук** (pamuk / памуци - pamuci)

wool	(F) волна (volna / волни - volni)
changing room	(F) пресоблекувална (presoblekuvalna / пресоблекувални - presoblekuvalni)
face mask	(F) маска за лице (maska za lice / маски за лице - maski za lice)
perfume	(M) парфем (parfem / парфеми - parfemi)
tampon	(M) тампон (tampon / тампони - tamponi)
nail scissors	(F) ножици за нокти (nožici za nokti / ножици за нокти - nožici za nokti)
nail clipper	(F) ноктарица (noktarica / ноктарици - noktarici)
hair gel	(M) гел за коса (gel za kosa / гелови за коса - gelovi za kosa)
shower gel	(M) гел за туширање (gel za tuširaňe / гелови за туширање - gelovi za tuširaňe)
condom	(M) кондом (kondom / кондоми - kondomi)
shaver	(F) машинка за бричење (mašinka za bričeňe / машинки за бричење - mašinki za bričeňe)
razor	(M) брич (brič / бричеви - bričevi)
sunscreen	(F) крема за сончање (krema za sončaňe / креми за сончање - kremi za sončaňe)
face cream	(F) крема за лице (krema za lice / креми за лице - kremi za lice)
brush (for cleaning)	(F) четка (četka / четки - četki)
nail polish	(M) лак за нокти (lak za nokti / лакови за нокти - lakovi za nokti)
lip gloss	(M) сјај за усни (sjaj za usni / сјаеви за усни - sjaevi za usni)
nail file	(F) турпија за нокти (turpija za nokti / турпии за нокти - turpii za nokti)
foundation	(F) пудра (pudra / пудри - pudri)
mascara	(F) маскара (maskara / маскари - maskari)
eye shadow	(F) сенка за очи (senka za oči / сенки за очи - senki za oči)
warranty	(F) гаранција (garancija / гаранции - garancii)
bargain	(F) зделка (zdelka / зделки - zdelki)
cash register	(F) каса (kasa / каси - kasi)
basket	(F) кошница (košnica / кошници - košnici)

shopping mall	(M) трговски центар (trgovski centar / трговски центри - trgovski centri)
pharmacy	(F) аптека (apteka / аптеки - apteki)
skyscraper	(M) облакодер (oblakoder / облакодери - oblakoderi)
castle	(M) замок (zamok / замоци - zamoci)
embassy	(F) амбасада (ambasada / амбасади - ambasadi)
synagogue	(F) синагога (sinagoga / синагоги - sinagogi)
temple	(M) храм (hram / храмови - hramovi)
factory	(F) фабрика (fabrika / фабрики - fabriki)
mosque	(F) џамија (đamija / џамии - đamii)
town hall	(N) градско собрание (gradsko sobranie / градски собранија - gradski sobranija)
post office	(F) пошта (pošta / пошти - pošti)
fountain	(F) фонтана (fontana / фонтани - fontani)
night club	(M) ноќен клуб (noken klub / ноќни клубови - noḱni klubovi)
bench	(F) клупа (klupa / клупи - klupi)
golf course	(M) терен за голф (teren za golf / терени за голф - tereni za golf)
football stadium	(M) фудбалски стадион (fudbalski stadion / фудбалски стадиони - fudbalski stadioni)
swimming pool (building)	(M) базен (bazen / базени - bazeni)
tennis court	(N) тениско игралиште (tenisko igralište / тениски игралишта - teniski igrališta)
tourist information	(F) туристички информации (turistički informacii / туристички информации - turistički informacii)
casino	(N) казино (kazino / казина - kazina)
art gallery	(F) уметничка галерија (umetnička galerija / уметнички галерии - umetnički galerii)
museum	(M) музеј (muzej / музеи - muzei)
national park	(M) национален парк (nacionalen park / национални паркови - nacionalni parkovi)
tourist guide	(M) туристички водич (turistički vodič / туристички водичи - turistički vodiči)
souvenir	(M) сувенир (suvenir / сувенири - suveniri)

alley	(F) уличка (ulička / улички - ulički)
dam	(F) брана (brana / брани - brani)
steel	(M) челик (čelik / челици - čelici)
crane	(M) кран (kran / кранови - kranovi)
concrete	(M) бетон (beton / бетон - beton)
scaffolding	(N) скеле (skele / скелиња - skeliňa)
brick	(F) цигла (cigla / цигли - cigli)
paint	(F) боја (boja / бои - boi)
nail	(F) шајка (šajka / шајки - šajki)
screwdriver	(M) шрафцигер (šrafciger / шрафцигери - šrafcigeri)
tape measure	(F) лента за мерење (lenta za mereňe / ленти за мерење - lenti za mereňe)
pincers	(F) клешта (klešta / клешти - klešti)
hammer	(M) чекан (čekan / чекани - čekani)
drilling machine	(F) бормашина (bormašina / бормашини - bormašini)
aquarium	(M) аквариум (akvarium / аквариуми - akvariumi)
water slide	(M) тобоган (tobogan / тобогани - tobogani)
roller coaster	(M) ролеркостер (rolerkoster / ролеркостери - rolerkosteri)
water park	(M) аква парк (akva park / аква паркови - akva parkovi)
zoo	(F) зоолошка (zoološka / зоолошки - zoološki)
playground	(N) игралиште (igralište / игралишта - igrališta)
slide	(F) лизгалка (lizgalka / лизгалки - lizgalki)
swing	(F) лулашка (lulaška / лулашки - lulaški)
sandbox	(F) кутија со песок (kutija so pesok / кутии со песок - kutii so pesok)
helmet	(M) шлем (šlem / шлемови - šlemovi)
uniform	(F) униформа (uniforma / униформи - uniformi)

fire (emergency)	(M) **пожар** (požar / пожари - požari)
emergency exit (in building)	(M) **итен излез** (iten izlez / итни излези - itni izlezi)
fire alarm	(M) **аларм за пожар** (alarm za požar / аларми за пожар - alarmi za požar)
fire extinguisher	(M) **противпожарен апарат** (protivpožaren aparat / противпожарни апарати - protivpožarni aparati)
police station	(F) **полициска станица** (policiska stanica / полициски станици - policiski stanici)
state	(F) **држава** (država / држави - državi)
region	(M) **регион** (region / региони - regioni)
capital	(M) **главен град** (glaven grad / главни градови - glavni gradovi)
visitor	(M) **посетител** (posetitel / посетители - posetiteli)
emergency room	(F) **итна соба** (itna soba / итни соби - itni sobi)
intensive care unit	(N) **одделение за интензивна нега** (oddelenie za intenzivna nega / одделенија за интензивна нега - oddelenija za intenzivna nega)
outpatient	(M) **амбулантски** (ambulantski / амбулантски - ambulantski)
waiting room	(F) **чекална** (čekalna / чекални - čekalni)
aspirin	(M) **аспирин** (aspirin / аспирини - aspirini)
sleeping pill	(N) **апчиња за спиење** (apčiňa za spieňe / апчиња за спиење - apčiňa za spieňe)
expiry date	(M) **рок на траење** (rok na traeňe / рокови на траење - rokovi na traeňe)
dosage	(F) **доза** (doza / дози - dozi)
cough syrup	(M) **сируп против кашлица** (sirup protiv kašlica / сирупи против кашлица - sirupi protiv kašlica)
side effect	(M) **несакан ефект** (nesakan efekt / несакани ефекти - nesakani efekti)
insulin	(M) **инсулин** (insulin / инсулини - insulini)
powder	(M) **прашок** (prašok / прашоци - prašoci)
capsule	(F) **капсула** (kapsula / капсули - kapsuli)
vitamin	(M) **витамин** (vitamin / витамини - vitamini)
infusion	(F) **инфузија** (infuzija / инфузии - infuzii)

painkiller

(M) **лек против болки** (lek protiv bolki / лекови против болки - lekovi protiv bolki)

antibiotics	(M) **антибиотик** (antibiotik / антибиотици - antibiotici)
inhaler	(M) **инхалатор** (inhalator / инхалатори - inhalatori)
bacterium	(F) **бактерија** (bakterija / бактерии - bakterii)
virus	(M) **вирус** (virus / вируси - virusi)
heart attack	(M) **срцев удар** (srcev udar / срцеви удари - srcevi udari)
diarrhea	(F) **дијареа** (dijarea / дијапеа - dijarea)
diabetes	(M) **дијабетес** (dijabetes / дијабетеси - dijabetesi)
stroke	(M) **мозочен удар** (mozočen udar / мозочни удари - mozočni udari)
asthma	(F) **астма** (astma / астми - astmi)
cancer	(M) **рак** (rak / рак - rak)
nausea	(N) **гадење** (gadeňe / гадења - gadeňa)
flu	(M) **грип** (grip / грипови - gripovi)
toothache	(F) **заболка** (zabobolka / заболки - zabobolki)
sunburn	(F) **изгореници од сонце** (izgorenici od sonce / изгореници од сонце - izgorenici od sonce)
poisoning	(N) **труење** (trueňe / труења - trueňa)
sore throat	(N) **болно грло** (bolno grlo / болни грла - bolni grla)
hay fever	(F) **поленска треска** (polenska treska / поленски трески - polenski treski)
stomach ache	(F) **стомачни болки** (stomačni bolki / стомачни болки - stomačni bolki)
infection	(F) **инфекција** (infekcija / инфекции - infekcii)
allergy	(F) **алергија** (alergija / алергии - alergii)
cramp	(M) **грч** (grč / грчеви - grčevi)
nosebleed	(M) **крв од нос** (krv od nos / крв од нос - krv od nos)
headache	(F) **главоболка** (glavobolka / главоболки - glavobolki)
spray	(M) **спреј** (sprej / спрејови - sprejovi)
syringe (tool)	(M) **шприц** (špric / шприцеви - špricevi)

1851 - 1875

needle	(F) **игла** (igla / игли - igli)
dental brace	(F) **забна протеза** (zabna proteza / забни протези - zabni protezi)
crutch	(F) **патерица** (paterica / патерици - paterici)
X-ray photograph	(M) **рентген** (rentgen / рентгени - rentgeni)
ultrasound machine	(F) **машина за ултразвук** (mašina za ultrazvuk / машини за ултразвук - mašini za ultrazvuk)
plaster	(M) **гипс** (gips / гипсови - gipsovi)
bandage	(M) **завој** (zavoj / завои - zavoi)
wheelchair	(F) **инвалидска количка** (invalidska količka / инвалидски колички - invalidski količki)
blood test	(F) **крвна слика** (krvna slika / крвни слики - krvni sliki)
cast	(M) **гипс** (gips / гипсови - gipsovi)
fever thermometer	(M) **топломер** (toplomer / топломери - toplomeri)
pulse	(M) **пулс** (puls / пулс - puls)
injury	(F) **повреда** (povreda / повреди - povredi)
emergency	(F) **итна служба** (itna služba / итни служби - itni službi)
concussion	(M) **потрес на мозокот** (potres na mozokot / потреси на мозокот - potresi na mozokot)
suture	(N) **хируршко шиење** (hirurško šieňe / хирурршки шиења - hirurški šieňa)
burn	(F) **изгореница** (izgorenica / изгореници - izgorenici)
fracture	(F) **фрактура** (fraktura / фрактури - frakturi)
meditation	(F) **медитација** (meditacija / медитации - meditacii)
massage	(F) **масажа** (masaža / масажи - masaži)
birth control pill	(F) **пилула за контрацепција** (pilula za kontracepcija / пилули за контрацепција - piluli za kontracepcija)
pregnancy test	(M) **тест за бременост** (test za bremenost / тестови за бременост - testovi za bremenost)
tax	(M) **данок** (danok / даноци - danoci)
meeting room	(F) **соба за состаноци** (soba za sostanoci / соби за состаноци - sobi za sostanoci)
business card	(F) **бизнис картичка** (biznis kartička / бизнис картички - biznis kartički)

IT	(F) **ИТ** (IT / ИТ - IT)
human resources	(M) **човечки ресурси** (čovečki resursi / човечки ресурси - čovečki resursi)
legal department	(M) **правен оддел** (praven oddel / правни оддели - pravni oddeli)
accounting	(N) **сметководство** (smetkovodstvo / сметководства - smetkovodstva)
marketing	(M) **маркетинг** (marketing / маркетинг - marketing)
sales	(F) **продажба** (prodažba / продажби - prodažbi)
colleague	(M) **колега** (kolega / колеги - kolegi)
employer	(M) **работодавач** (rabotodavač / работодавачи - rabotodavači)
employee	(M) **вработен** (vraboten / вработени - vraboteni)
note (information)	(F) **забелешка** (zabeleška / забелешки - zabeleški)
presentation	(F) **презентација** (prezentacija / презентации - prezentacii)
folder (physical)	(F) **папка** (papka / папки - papki)
rubber stamp	(M) **гумен печат** (gumen pečat / гумени печати - gumeni pečati)
projector	(M) **проектор** (proektor / проектори - proektori)
text message	(F) **текстуална порака** (tekstualna poraka / текстуални пораки - tekstualni poraki)
parcel	(M) **пакет** (paket / пакети - paketi)
stamp	(F) **марка** (marka / марки - marki)
envelope	(M) **плик** (plik / пликове - plikove)
prime minister	(M) **премиер** (premier / премиери - premieri)
pharmacist	(M) **фармацевт** (farmacevt / фармацевти - farmacevti)
firefighter	(M) **пожарникар** (požarnikar / пожарникари - požarnikari)
dentist	(M) **заболекар** (zabolekar / заболекари - zabolekari)
entrepreneur	(M) **претприемач** (pretpriemač / претприемачи - pretpriemači)
politician	(M) **политичар** (političar / политичари - političari)
programmer	(M) **програмер** (programer / програмери - programeri)

stewardess	(F) **стјуардеса** (stjuardesa / стјуардеси - stjuardesi)
scientist	(M) **научник** (naučnik / научници - naučnici)
kindergarten teacher	(F) **воспитувачка во градинка** (vospituvačka vo gradinka / воспитувачки во градинка - vospituvački vo gradinka)
architect	(M) **архитект** (arhitekt / архитекти - arhitekti)
accountant	(M) **сметководител** (smetkovoditel / сметководители - smetkovoditeli)
consultant	(M) **консултант** (konsultant / консултанти - konsultanti)
prosecutor	(M) **обвинител** (obvinitel / обвинители - obviniteli)
general manager	(M) **генерален менаџер** (generalen menađer / генерални менаџери - generalni menađeri)
bodyguard	(M) **телохранител** (telohranitel / телохранители - telohraniteli)
landlord	(M) **земјопоседник** (zemjoposednik / земјопоседници - zemjoposednici)
conductor	(M) **кондуктер** (kondukter / кондуктери - kondukteri)
waiter	(M) **келнер** (kelner / келнери - kelneri)
security guard	(N) **обезбедување** (obezbeduvaňe / обезбедувања - obezbeduvaňa)
soldier	(M) **војник** (voǐnik / војници - voǐnici)
fisherman	(M) **рибар** (ribar / рибари - ribari)
cleaner	(M) **чистач** (čistač / чистачи - čistači)
plumber	(M) **водоводџија** (vodovoddǐja / водоводции - vodovoddii)
electrician	(M) **електричар** (električar / електричари - električari)
farmer	(M) **фармер** (farmer / фармери - farmeri)
receptionist	(M) **рецепционер** (recepcioner / рецепционери - recepcioneri)
postman	(M) **поштар** (poštar / поштари - poštari)
cashier	(M) **касиер** (kasier / касиери - kasieri)
hairdresser	(M) **фризер** (frizer / фризери - frizeri)
author	(M) **автор** (avtor / автори - avtori)
journalist	(M) **новинар** (novinar / новинари - novinari)

1926 - 1950

photographer	(M) **фотограф** (fotograf / фотографи - fotografi)
thief	(M) **крадец** (kradec / крадци - kradci)
lifeguard	(M) **спасувач** (spasuvač / спасувачи - spasuvači)
singer	(M) **пејач** (pejač / пејачи - pejači)
musician	(M) **музичар** (muzičar / музичари - muzičari)
actor	(M) **актер** (akter / актери - akteri)
reporter	(M) **репортер** (reporter / репортери - reporteri)
coach (sport)	(M) **тренер** (trener / тренери - treneri)
referee	(M) **судија** (sudija / судии - sudii)
folder (computer)	(F) **папка** (papka / папки - papki)
browser	(M) **прелистувач** (prelistuvač / прелистувачи - prelistuvači)
network	(F) **мрежа** (mreža / мрежи - mreži)
smartphone	(M) **паметен телефон** (pameten telefon / паметни телефони - pametni telefoni)
earphone	(F) **слушалка** (slušalka / слушалки - slušalki)
mouse (computer)	(N) **глувче** (gluvče / глувчиња - gluvčiňa)
keyboard (computer)	(F) **тастатура** (tastatura / тастатури - tastaturi)
hard drive	(M) **хард диск** (hard disk / хард дискови - hard diskovi)
USB stick	(M) **УСБ стик** (USB stik / УСБ стикови - USB stikovi)
scanner	(M) **скенер** (skener / скенери - skeneri)
printer	(M) **принтер** (printer / принтери - printeri)
screen (computer)	(M) **екран** (ekran / екрани - ekrani)
laptop	(M) **лаптоп** (laptop / лаптопи - laptopi)
fingerprint	(M) **отпечаток од прст** (otpečatok od prst / отпечатоци од прсти - otpečatoci od prsti)
suspect	(M) **осомничен** (osomničen / осомничени - osomničeni)
defendant	(M) **обвинет** (obvinet / обвинети - obvineti)

1951 - 1975

investment	(F) **инвестиција** (investicija / инвестиции - investicii)
stock exchange	(F) **берза** (berza / берзи - berzi)
share	(F) **акција** (akcija / акции - akcii)
dividend	(F) **дивиденда** (dividenda / дивиденди - dividendi)
pound	(F) **фунта** (funta / фунти - funti)
euro	(N) **евро** (evro / евра - evra)
yen	(M) **јен** (jen / јени - jeni)
yuan	(M) **јуан** (juan / јуани - juani)
dollar	(M) **долар** (dolar / долари - dolari)
note (money)	(F) **книжни пари** (knižni pari / книжни пари - knižni pari)
coin	(F) **монета** (moneta / монети - moneti)
interest	(F) **камата** (kamata / камати - kamati)
loan	(M) **заем** (zaem / заеми - zaemi)
account number	(M) **број на сметка** (broj na smetka / броеви на сметки - broevi na smetki)
bank account	(F) **банкарска сметка** (bankarska smetka / банкарски сметки - bankarski smetki)
world record	(M) **светски рекорд** (svetski rekord / светски рекорди - svetski rekordi)
stopwatch	(F) **штоперица** (štoperica / штоперици - štoperici)
medal	(M) **медал** (medal / медали - medali)
cup (trophy)	(M) **пехар** (pehar / пехари - pehari)
robot	(M) **робот** (robot / роботи - roboti)
cable	(M) **кабел** (kabel / кабли - kabli)
plug	(M) **приклучок** (priklučok / приклучоци - priklučoci)
loudspeaker	(M) **звучник** (zvučnik / звучници - zvučnici)
vase	(F) **вазна** (vazna / вазни - vazni)
lighter	(F) **запалка** (zapalka / запалки - zapalki)

package	(N) пакување (pakuvaňe / пакувања - pakuvaňa)
tin	(F) конзерва (konzerva / конзерви - konzervi)
water bottle	(N) шише за вода (šiše za voda / шишиња за вода - šišiňa za voda)
candle	(F) свеќа (sveḱa / свеќи - sveḱi)
torch	(F) светилка (svetilka / светилки - svetilki)
cigarette	(F) цигара (cigara / цигари - cigari)
cigar	(F) пура (pura / пури - puri)
compass	(M) компас (kompas / компаси - kompasi)
stockbroker	(M) брокер (broker / брокери - brokeri)
barkeeper	(M) бармен (barmen / бармени - barmeni)
gardener	(M) градинар (gradinar / градинари - gradinari)
mechanic	(M) механичар (mehaničar / механичари - mehaničari)
carpenter	(M) столар (stolar / столари - stolari)
butcher	(M) месар (mesar / месари - mesari)
priest	(M) свештеник (sveštenik / свештеници - sveštenici)
monk	(M) монах (monah / монаси - monasi)
nun	(F) калуѓерка (kaluǵerka / калуѓерки - kaluǵerki)
dancer	(M) танчер (tančer / танчери - tančeri)
director (movie)	(M) режисер (režiser / режисери - režiseri)
camera operator	(M) камерман (kamerman / камермани - kamermani)
midwife	(F) бабица (babica / бабици - babici)
lorry driver	(M) возач на камион (vozač na kamion / возачи на камион - vozači na kamion)
tailor	(M) кројач (kroǰač / кројачи - kroǰači)
librarian	(M) библиотекар (bibliotekar / библиотекари - bibliotekari)
vet	(M) ветеринар (veterinar / ветеринари - veterinari)